PATRICK ISA[...]

ANNA CARITAS

Le sacrilège

éditions les malins

Gouvernement du Québec – Programme de crédit d'impôt
pour l'édition de livres – Gestion Sodec

info@lesmalins.ca

Éditeur : Marc-André Audet
Éditrice au contenu : Katherine Mossalim
Auteur : Patrick Isabelle
Directrice artistique : Shirley de Susini
Photomontage et conception de la couverture : Shirley de Susini
Mise en page : Diane Marquette
Correcteurs : Elyse-Andrée Héroux, Jean Boilard
Photos de la couverture © shutterstock.com

Dépôt légal – Bibliothèque et Archives nationales du Québec, 2018
Dépôt légal – Bibliothèque et Archives Canada, 2018

ISBN : 978-2-89657-665-4

Imprimé au Canada

Les éditions Les Malins inc.
Montréal (Québec)

Financé par le gouvernement du Canada

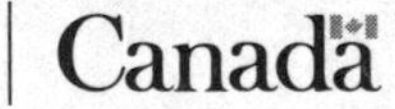

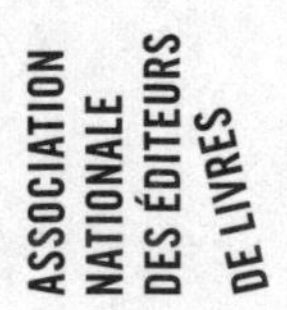

Pour ma mère, qui a emprunté Misery *à la bibliothèque*
pour moi, parce que j'étais trop jeune pour le faire.
Merci pour ça... et pour tout le reste !

TABLE DES MATIÈRES

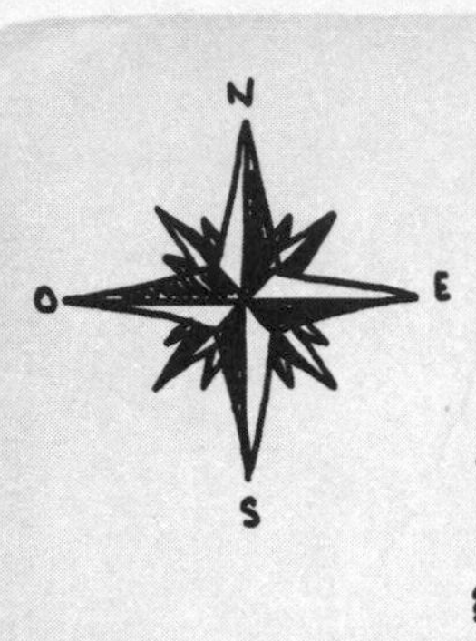

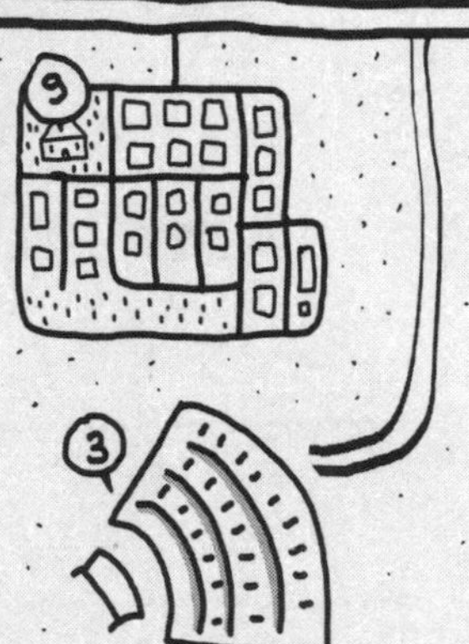

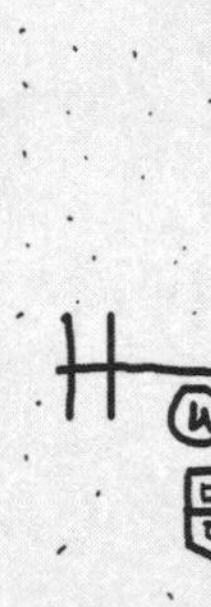

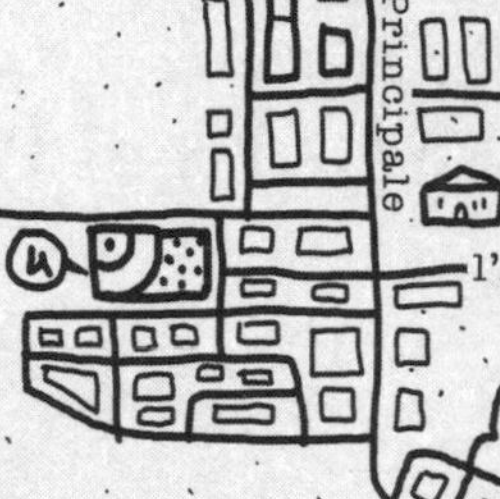

1. Collège Anna Caritas
2. Église
3. Ciné-parc 33
4. Terrain de baseball
5. Fôret des Damnés

HECTOR

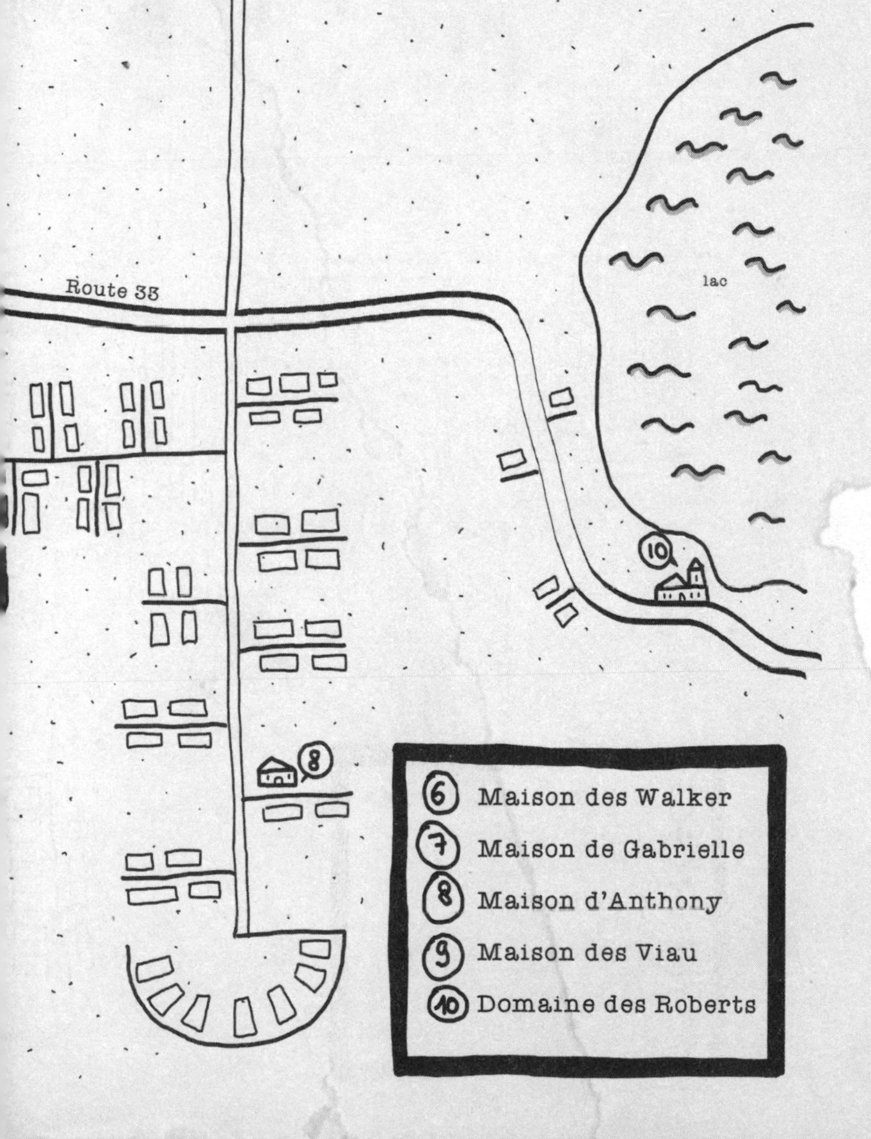

Route 33
lac
10
8
6 Maison des Walker
7 Maison de Gabrielle
8 Maison d'Anthony
9 Maison des Viau
10 Domaine des Roberts

Marianne Roberts était une enfant étrange. Personne à Saint-Hector n'aurait osé affirmer le contraire. Elle souriait rarement. Elle marchait toujours les mains dans les poches de sa veste, le dos courbé, la tête basse et les cheveux en bataille devant son visage. Malgré son jeune âge, elle maquillait le contour de ses yeux au crayon noir, ne faisant qu'accentuer les cernes qui assombrissaient déjà son regard. Ses vêtements avaient l'air délabrés, mais elle les portait fièrement, avec une nonchalance peu commune chez les filles de son âge.

Les commères de la ville racontent que les chats crachaient sur son passage, qu'il valait mieux ne pas la regarder droit dans les yeux ni même l'effleurer. On parlait d'elle comme on aurait parlé d'une bestiole. C'était le mouton noir de Saint-Hector. Celle dont on ne doit prononcer le nom qu'à voix basse, en serrant les dents.

Mes amis et moi, nous ne fréquentions pas encore le collège, dans ce temps-là. Mais nous savions tous qui était Marianne. Elle représentait une espèce de modèle inatteignable. L'image parfaite de la rébellion. Elle était ce que nous aurions voulu être. Tous diront le contraire, évidemment. Moi, je sais que c'est vrai.

Tout le monde à Saint-Hector connaît l'histoire des Roberts. Il faut dire, d'abord et avant tout, qu'il ne se passe jamais grand-chose dans notre petit patelin. Depuis des décennies, l'ordre y règne, les Hectoriens vont et viennent paisiblement, dans le confort et la sécurité. Les étrangers ne le demeurent pas bien longtemps. Tout le monde connaît tout le monde, ici. C'est la coutume. Personne, néanmoins, n'aurait pu prévoir l'onde de choc engendrée par l'apparition des Roberts dans la ville.

Il n'est pas rare de voir débarquer de riches familles dans les environs. Elles s'installent toutes à l'est de la ville, autour du lac, dans des villas et des manoirs nouvellement construits. Les premiers ont vu le jour au début des années 1990 dans l'indifférence quasi totale des habitants de la région. Aujourd'hui, les familles intéressées sont si nombreuses que le prix des terrains n'est pratiquement plus abordable. Du moins, pas pour une personne normale.

Plusieurs raisons poussent ces familles à venir habiter à Saint-Hector. La principale est un secret bien gardé : Anna Caritas. Si l'endroit a autrefois abrité une communauté grandissante de religieuses, il a changé de vocation au milieu des années 1970 pour devenir le collège d'études secondaires qu'il est aujourd'hui. Une des meilleures écoles privées de la province. Du pays aussi, probablement.

L'ancien couvent se situe en plein cœur de la ville, à deux pas de l'église. Les Hectoriens rigolent souvent en racontant qu'ici, tous les chemins mènent à Anna Caritas. C'est vrai. Nul ne peut traverser la ville sans croiser l'école. Elle règne sur Saint-Hector, du haut de ses quatre étages. L'éducation qu'on y reçoit n'a d'égale que la prestance du bâtiment. C'est un endroit magnifique, grandiose. La fierté de la ville. Le cœur de son économie. Car, même si la plupart des locaux choisissent d'y envoyer leur progéniture, au détriment de la polyvalente publique qui se trouve à des lieues de notre patelin, Anna Caritas est d'abord et avant tout un pensionnat. La moitié de l'établissement est destinée aux nombreuses chambres qui reçoivent, chaque année, l'élite, en l'occurrence des gosses de riches venus des quatre coins de la province. Les vedettes et les richissimes hommes d'affaires, qui désirent tenir leurs enfants à l'écart de la vie urbaine, les envoient ici afin qu'ils obtiennent une des meilleures éducations en Amérique du Nord.

Pour mes amis et moi, c'est juste une école comme une autre. L'établissement a, depuis des années, pris la résolution d'accommoder les locaux en leur demandant des frais scolaires raisonnables. Anna Caritas est, après tout, le joyau de Saint-Hector. C'est la moindre des choses. Ça explique aussi que, tous les ans, de nouveaux arrivants, d'origine plus modeste, emménagent à proximité. Ces familles, qu'on surnomme « les temporaires », s'installent dans le coin à la suite de l'admission de leur enfant au collège et déménagent rapidement dès l'obtention de son diplôme. Généralement, ces étrangers ne se mêlent pas à la vie communautaire. Ils quittent Saint-Hector tôt le matin, en transit vers la ville, et ne reviennent que le soir venu. Alors ils s'enferment dans leurs maisons, à l'abri des regards.

Il y en a plusieurs. La plupart habitent tous le même quartier, à l'ouest, à l'opposé du lac. C'est le seul arrondissement de Saint-Hector où les maisons sont constamment à vendre ou à louer. Ce n'est pas un endroit désagréable où vivre, mais toutes les demeures se ressemblent de près ou de loin. Lors de la création de ce nouveau quartier, dans les années 1970, le promoteur immobilier l'avait vendu comme «le meilleur de la campagne et de la banlieue réunies». À l'époque, on avait prévu des parcs, des épiceries ainsi qu'une nouvelle bretelle qui mènerait les automobilistes directement sur l'autoroute, leur permettant d'éviter la route 33. Mais devant le peu d'enthousiasme des gens de la région et à la suite de ventes quasi inexistantes, le projet fut rapidement annulé, ne laissant que quelques pâtés de maisons au milieu des champs, à l'écart de la ville.

Le reste des terrains vacants fut vendu au début des années 1980, et on y érigea le ciné-parc. Il est fermé depuis des lustres, mais l'écran y trône toujours, comme un fantôme du passé au milieu de la nature qui a repris ses droits. C'est un endroit assez macabre, où les plus vieux du collège se rendent souvent, lorsque le temps le permet, pour faire la fête.

Les Roberts n'étaient pas des temporaires. Je crois même qu'ils avaient réellement envie de vivre à Saint-Hector. Mais leur présence a rapidement dérangé les locaux, qui les voyaient comme un mauvais augure.

Notre petite municipalité s'est toujours vautrée dans son conservatisme. Ici, l'église est toujours comble le dimanche matin. Les Hectoriens aiment croire qu'ils vivent une vie bien rangée selon de bonnes valeurs chrétiennes. C'est presque gênant. En réalité, nous vivons dans l'hypocrisie des apparences et de la superficialité. Même les pires mégères de la rue Principale ont pour fierté de toujours se montrer souriantes et cordiales. Mais si le curé Turcotte rote malencontreusement en prenant son café au Café Chez Madeleine, la rumeur peut facilement se répandre aux quatre coins de la ville en quelques minutes à peine.

Par contre, vue de l'extérieur, Saint-Hector est une ville rangée. Exemplaire.

Quand John Roberts a acquis l'une des demeures les plus somptueuses de la ville, à l'extrémité du lac, c'était comme si une coquerelle venait de surgir de nulle part pour salir le semblant de propreté de Saint-Hector. John Roberts était célèbre. Chanteur principal d'un groupe rock connu internationalement, ses pochettes d'albums auraient sans doute fait faire une crise cardiaque à la plus libérale des bonnes sœurs du collège. Évidemment, tout cela ne faisait qu'assombrir la perception que les Hectoriens avaient de Marianne, sa fille.

Plusieurs rumeurs ont commencé à circuler dans la ville à propos du domaine des Roberts et de ce qui s'y passait. Des ragots, pour la plupart, des histoires de grands-mères à propos du diable et de ses disciples. N'importe quoi pour salir l'image de la rock star.

John Roberts et sa femme semblaient pourtant apprécier leur vie au sein de la communauté. On les voyait souvent se balader en ville dans leurs accoutrements bizarres en train de faire des courses en saluant tout le monde. Ils se montraient généreux envers les différents organismes de Saint-Hector, et ne lésinaient jamais sur les pourboires. Les plus âgés avaient été outrés que John, avec sa chevelure longue et grisonnante, se promène au bras d'une femme deux fois plus jeune que lui : Dakota, la belle-mère de Marianne. John Roberts avait marié la jeune femme après avoir divorcé de sa deuxième épouse, ce qui, à Saint-Hector, équivalait à un sacrilège maudit. Il faut dire que la dame en question n'arborait pas une apparence très réservée, encore moins maternelle. On n'avait jamais vu quelqu'un comme elle à des kilomètres à la ronde, à part peut-être sur certaines chaînes de télévision payantes. Mais au bout de quelque temps, la machine à potins s'était calmée et les Roberts étaient devenus, peu à peu, partie intégrante du décor.

Jusqu'à ce jour fatidique où la vedette du rock et sa jeune épouse furent retrouvées mortes dans leur manoir. D'étranges circonstances. Personne, encore à ce jour, ne sait ce qui s'est réellement passé dans cette maison. J'ai bien dû entendre au moins une centaine d'histoires différentes, tout aussi macabres les unes que les autres, mais la vérité demeure nébuleuse. Seuls les policiers qui ont été appelés sur place peuvent témoigner de l'horreur dont ils ont été témoins. Étrangement, aucun journaliste n'a jamais réussi à retracer l'identité des agents présents sur la scène du crime. C'est comme s'ils s'étaient évaporés. Ne sont restés que des ouï-dire, que les habitants de la région ont préféré oublier. Le nom de Roberts est rapidement devenu tabou.

Celui de Marianne aussi.

Les Hectoriens se souviendront toujours du fameux jour où Marianne Roberts a été retirée du collège Anna Caritas. Ce fut une journée sombre, presque historique. Les matrones de la ville l'évoquent en crachant par terre pour conjurer le sort, et les commerçants de Saint-Hector en parlent encore à voix basse.

Les agents fédéraux, venus apprendre la triste nouvelle à Marianne, durent se mettre à quatre pour la traîner jusqu'à l'auto-patrouille. Jamais, à ce qu'on en dit, n'a-t-on entendu pareils hurlements sortant d'une fillette d'à peine treize ans. Elle aurait, paraît-il, réagi avec une violence surhumaine à l'annonce du décès de son père. Plusieurs ont dit qu'elle devait, sans l'ombre d'un doute, être possédée par un quelconque démon. Même les élèves de l'école qui étaient présents ce jour-là osent à peine l'évoquer. Les pensionnaires les plus sournois s'amusent à dire que, tard dans la nuit, on peut encore entendre l'écho des plaintes de Marianne dans les corridors vides de l'école.

Car après cette journée fatidique, pendant deux ans, on n'a plus entendu parler d'elle. Personne ne savait ce qu'elle était devenue. Marianne Roberts avait tout simplement disparu. Elle s'était évaporée, comme si elle n'avait jamais mis les pieds à Saint-Hector. Les activités ont peu à peu repris leur cours à travers la ville. Le choc s'est dissipé et Anna Caritas a balayé cette journée sous le tapis, reléguant l'incident à un petit pépin comme un autre.

Mais nous, nous n'avons pas oublié. Les enfants de ma génération ont écouté les disques de John Roberts en cachette, jusqu'à ne plus oser fermer l'œil de la nuit. L'été, autour des feux de camp, c'est l'histoire du meurtre des Roberts qu'on se raconte pour se foutre la trouille. Le soir de l'Halloween, la police locale doit même patrouiller devant l'ancien manoir abandonné pour repousser les jeunes un peu trop aventureux. En deux ans, Marianne est devenue un mystère, certains allant jusqu'à dire que c'est elle qui a assassiné son père et sa belle-mère de sang-froid. En peu de temps, il est devenu courant de faire peur aux plus petits en leur disant que s'ils n'obéissent pas, Marianne Roberts, la sorcière, viendra les kidnapper pendant leur sommeil.

Moi, je savais qu'elle n'était pas mauvaise. Marianne n'aurait jamais fait de mal à une mouche. Mais à l'époque, j'avais préféré ne rien dire, sous peine d'être à mon tour vu comme un suppôt de Satan. J'avais donc refoulé mes souvenirs loin dans mon cerveau en me disant que, de toute façon, plus jamais nous ne la reverrions dans les parages. Avec le temps, il ne resterait de cette journée-là que de vagues échos dont plus personne ne se rappellerait la provenance.

Maintes fois, j'ai rejoué dans ma tête le fil des événements, et c'est toujours son visage qui me revient. C'était le début du mois d'avril. Une de ces premières journées de printemps où le ciel est si bleu et le soleil tellement chaud que tout le monde a l'impression de revivre après un hiver trop froid et trop long.

Ce matin-là, personne n'a vraiment porté attention à la vieille voiture brune qui se stationnait devant l'école. La température était si exceptionnelle, la brise chaude si réconfortante que la majorité des élèves bourdonnaient autour de l'école comme des chiots excités devant un biscuit. Mes amis et moi en faisions partie, confortablement installés dans les marches de pierres donnant accès à l'aile ouest, profitant au maximum des rayons vivifiants du soleil avant que la cloche stridente annonce le début des cours.

Et tout à coup, le temps s'est arrêté. Comme si la gravité de la Terre faisait défaut. Comme si l'air autour de nous s'était solidifié. Le silence a envahi le terrain de l'école en une fraction de seconde. Plus de rires, plus de cris, plus de conversations. Un silence épais et lourd, semblant décuplé par la lumière aveuglante du soleil qui s'acharnait sur notre patelin.

Elle a fermé la portière lourde de la vieille automobile derrière elle en enfilant son sac de cuir en bandoulière. Le vent qui soufflait dans ses longs cheveux noirs a dévoilé une mèche bleue qui lui tombait sur les épaules. Son polo gris foncé à l'effigie du collège, complètement déboutonné, laissait entrevoir son soutien-gorge et tombait sur la jupe d'écolière qu'elle portait plus bas que la majorité des autres filles. À chaque pas, ses longues bottes noires semblaient prendre vie et fendre l'air, s'agrippant au pavé qui menait jusqu'aux larges marches de pierres de l'entrée principale.

La tête haute, elle s'est avancée vers l'établissement avec une dégaine nonchalante. Les yeux couverts par ses immenses lunettes de soleil, elle regardait droit devant elle, sans broncher. Tous les élèves présents en eurent le souffle coupé. Nous sommes tous restés figés là, à l'observer, n'osant croire que cette apparition était bien réelle. Hypnotisés. Ensorcelés. Nous l'avons suivie du regard jusqu'à ce que les imposantes portes en bois massif se referment derrière elle.

Je m'en souviendrai toute ma vie.

Aucun de nous n'aurait pu prévoir la suite des événements. De toute façon, aucun de nous n'y aurait cru. Parce que c'est là que tout a vraiment débuté… Avec le retour de Marianne Roberts.

C'est là qu'il faut commencer.

I

INITIUM

UN

— William Walker ! Je vous ai posé une question.

J'ai levé les yeux en sursautant. Madame Veilleux, les deux mains sur ses hanches, me fixait d'un air méchant du devant de la classe. J'ai tenté de remettre subtilement mon téléphone dans la poche de ma veste en lui souriant. Normalement, je ne me risquerais jamais à regarder mon appareil pendant les heures de cours, c'est formellement interdit à Anna Caritas. Mais cette journée-là, les textos et les notifications de mes réseaux sociaux étaient si nombreux que la curiosité l'avait emporté.

Il y avait de l'électricité dans l'air, ce vendredi-là. Évidemment, les conversations revenaient toujours au même sujet depuis le début de la semaine : Marianne Roberts. La rumeur voulait que le matin même, elle ait été vue en train de subtiliser une mèche de cheveux à une fille de secondaire III. Probablement une pure invention ! Toute la semaine, la revenante avait attisé les esprits. Elle était devenue l'objet de tous les débats. Malgré le fait qu'elle n'était pas dans la même année que nous, les rumeurs à propos de Marianne circulaient à travers l'école à une vitesse fulgurante.

Dans cette ville où tous les étudiants finissent par se ressembler, elle détonait. Ses cheveux noirs lisses, la mèche de cheveux bleue qu'elle dissimulait astucieusement dans son cou, ses paupières qu'elle crayonnait de noir, donnant l'impression que ses yeux verts étaient des pierres précieuses, la jupe de son costume qu'elle ne portait pas selon les critères à la mode… Marianne défiait la tranquillité de l'école en affichant délibérément sa différence. Non seulement avait-elle osé revenir à Anna Caritas, elle l'avait fait avec un style dérangeant, ce qui, évidemment, déplaisait à la majorité.

— Oui, madame Veilleux ?

— Si je vous surprends une fois de plus en train de regarder votre téléphone, il y aura des conséquences, c'est compris ? Et ça vaut pour toute la classe !

Je me suis retenu pour ne pas pouffer de rire devant son visage tout rouge, presque violet, déformé par la colère. Elle n'était pas méchante, en vérité, mais elle ne tolérait pas les écarts de conduite. Ça lui avait d'ailleurs valu le surnom de « Madame Castro » auprès des élèves. Anthony et moi nous l'étions approprié pour le transformer en « Madame Castrante ».

Notre enseignante a paru oublier la question qu'elle m'avait posée et a repris son exposé magistral sur la révolution industrielle là où elle l'avait laissé. Anthony, assis un peu plus loin en avant de la classe, s'est retourné vers moi pour me lancer un regard complice, visiblement amusé que je sois, une nouvelle fois, la cause de l'impatience de madame Veilleux.

Je ne faisais pas exprès. J'ai beau être distrait et maladroit, je ne suis pas nécessairement un mauvais élève. Seulement, ma réputation me précédait depuis l'année d'avant. Anthony et moi, au cours de notre première année à Anna Caritas, avions la fâcheuse habitude de toujours trouver le trouble là où il n'existait pas avant. Je marchais sur des œufs depuis la fois où nous avions, dans un instant de folie, décidé de caler une quantité douteuse de boisson énergisante pendant la fête de Noël qu'avait organisée l'école. Surexcités, nous avions un peu dérapé, et l'idée de kidnapper les personnages de la grande crèche, devant l'église, pour les éparpiller dans la ville nous avait semblé hilarante. Le curé Turcotte, lui, l'avait trouvée moins drôle. Il s'était rendu à l'école pour y déverser sa colère. Comme de raison, quelques sources anonymes avaient été témoins de notre acte (*impur et scandaleux !*) et nous avions vite été démasqués.

Mon ami s'en était plutôt bien tiré grâce à une donation de taille faite à l'église de Saint-Hector par son père. Moi, j'avais dû négocier quelques heures de bénévolat avec la directrice du collège afin que mon dossier ne soit pas entaché. Mais les directives étaient claires : à la moindre incartade, mon renvoi d'Anna Caritas serait final et sans possibilité de retour. J'avais donc accepté ma punition sans broncher et je m'étais rendu au sous-sol de l'église tous les vendredis soir pendant trois mois afin de payer pour mes erreurs. Cela n'empêchait pas la direction (et la plupart des profs) de nous tenir à l'œil et de surveiller constamment nos faits et gestes.

Anthony et moi avons grandi ensemble. Son père, propriétaire d'une grande chaîne de magasins d'électronique, s'est fait bâtir une maison dans l'est de la ville à l'époque où les terrains étaient encore abordables. Si l'exode des gens riches et célèbres vers Saint-Hector est aujourd'hui chose courante, il était rare à l'époque de voir de jeunes familles s'installer du côté du lac. Lorsque Anthony est arrivé dans notre classe de première année, avec ses vêtements huppés et sa coupe de cheveux étrange, il a été rapidement ostracisé par les autres enfants.

J'étais plutôt du genre solitaire au primaire. Timide surtout. La seule amie dont je chérissais la présence était ma console de jeux vidéo. J'ignore encore les raisons qui ont poussé Anthony à venir s'asseoir à côté de moi à l'heure du lunch et je ne me souviens plus trop comment les événements sont arrivés. Je sais seulement que nous nous sommes rapidement liés d'amitié. Le genre d'amitié qui ne s'explique pas. Plus les années ont passé, plus il est devenu comme un frère pour moi. Le frère que je n'ai jamais eu, le destin ayant préféré m'octroyer deux petites vermines de sœurs.

Anthony a toujours possédé une espèce de confiance en lui surprenante, comme si le monde lui appartenait. Pourtant, je le connais bien, je l'ai vu pleurer plus souvent qu'à son tour.

J'ai vécu ses drames et ses détours. Je sais que sous son petit air arrogant se cache un gars sensible et intelligent. Peut-être était-ce parce qu'il était beaucoup plus grand, plus costaud que moi, ce qui lui donnait l'apparence d'être plus vieux. C'est sans doute pour ça que j'ai réussi à traverser presque toute mon enfance sans me faire tabasser par les autres. Avec lui à mes côtés, personne n'aurait osé s'en prendre à moi.

Même au moment où se déroule cette histoire, à l'apogée de notre secondaire II, mon meilleur ami aurait pu se fondre aisément parmi les élèves de cinquième, tandis que moi, je portais ma puberté déficiente comme un boulet, jour après jour. Si les habits obligatoires de l'école lui donnaient un air élégant, les miens me donnaient plus l'impression d'être une patate au four. Ma mère, dans sa grande sagesse, vivait dans la crainte que je subisse une poussée de croissance soudaine. Elle avait donc soigneusement acheté tous mes vêtements de classe une taille au-dessus de la mienne. Au rythme où je grandissais, j'étais mûr pour continuer d'avoir l'air d'un minus à côté d'Anthony pendant encore longtemps.

Le son agressant de la cloche est venu interrompre madame Veilleux en plein milieu de sa phrase, déclenchant le chaos dans la salle de classe. Cette semaine étrange était enfin terminée. Elle m'avait paru interminable. Je n'avais qu'une seule envie : me caler dans le divan poussiéreux du sous-sol familial et me perdre dans le jeu vidéo que je tentais d'achever depuis des semaines. Ne penser à rien. Manger des tonnes de pizza. Ne plus entendre parler de Marianne Roberts. Effacer la sensation bizarre que je ressentais au creux du ventre depuis le lundi matin, en la sachant dans l'école.

Nous avons attendu que la plupart des élèves se soient précipités hors de la salle de cours pour en sortir à notre tour. Anthony et moi marchions toujours pour retourner à la maison, nous n'avions nul besoin de nous presser pour attraper un des autobus jaunes ou pour rejoindre un quelconque parent stressé dans une des voitures garées en double devant l'école. Nous fonctionnions au diapason avec le rythme local. Alors que les pensionnaires se traînaient les pieds pour retrouver leurs quartiers respectifs, nous avions tout notre temps pour savourer notre courte liberté.

— Tu t'es fait pogner solide, Walker.

— *Man!* J'étais sûr que sa tête allait exploser!

Adossée au mur du corridor, Gabrielle nous attendait à la sortie de la classe, tenant ses livres fermement sur sa poitrine, un demi-sourire dessiné sur ses lèvres. Anthony a enfilé son sac à dos avant de se ruer sur elle pour l'enlacer. Ces deux-là, plus que jamais, profitaient de chaque seconde pour se lancer dans une séance de *french kiss*, oubliant le monde qui les entourait. C'était comme ça depuis plus d'un an.

J'ai détourné les yeux, me sentant un peu pervers de rester là à les regarder s'embrasser sans fin. Au bout d'un moment,

Gabrielle a repoussé Anthony avant de lui prendre la main. Elle a penché sa tête dans ma direction.

— Salut, Will. Pas fâché que la semaine soit finie ?

— Hey, Gab.

En essayant d'éviter les allées et venues des autres élèves qui couraient d'un sens et de l'autre, nous nous sommes dirigés tranquillement vers l'escalier de l'aile ouest pour rejoindre nos casiers, situés un étage plus bas, au deuxième.

— Party chez Sab demain, si ça vous tente. Ses parents sont partis pour la fin de semaine !

Anthony m'a jeté un coup d'œil, mal à l'aise. Lui et moi avions déjà prévu de nous taper la trilogie originale de *Star Wars*, sans les effets spéciaux ajoutés, sans la musique retravaillée. La totale ! Les trois films, tels qu'ils ont été vus pour la première fois dans les salles de cinéma. Ça faisait déjà deux fois qu'il retardait le visionnement, pour des excuses plus ou moins solides.

— *Come on*, Anthony ! Un party chez Sab ? Vraiment ?

— *Whaaaaat?* Ça peut être le fun !

J'aimais beaucoup Gabrielle. À ce moment-là, je la considérais même comme une de mes très bonnes amies, malgré le fait qu'au départ je n'avais pas trop approuvé leur union. Mais Sabrina, c'était une autre histoire. Je savais bien que c'était la meilleure amie de Gab, que les deux étaient inséparables. L'une ne venait pas sans l'autre, c'était non négociable. Pourtant, après des mois et des mois à nous fréquenter, Sabrina continuait de me traiter comme si j'étais une crotte de chien collée à la semelle de ses précieux souliers. Pour elle, je n'étais que «l'ami d'Anthony». D'ailleurs, je crois qu'elle n'avait jamais réellement prononcé mon prénom. Elle se contentait de m'appeler «Hey» ou «Chose». Le pire, c'est que Sabrina était une fille ultra intéressante, malgré son mépris apparent pour moi. J'ai bien essayé de connecter avec elle, de lui faire la conversation, rien à faire. En général, les temporaires comme elle se démenaient d'emblée pour se faire accepter des natifs. Pas elle. Je me contentais donc de supporter sa présence, et elle faisait pareil.

— Viens donc, Will, m'a supplié Gabrielle.

J'ai refermé la porte de mon casier en soupirant. Anthony m'a foudroyé de son regard piteux, dans le dos de Gab, en l'entourant de ses bras. Celle-ci, la tête posée sur l'épaule de mon ami, me souriait à pleines dents en attrapant les mains jointes de son amoureux autour de sa taille. Ils étaient faits l'un pour l'autre, le couple parfait. S'ils m'avaient supplié séparément, j'aurais peut-être pu m'en sortir, mais ensemble, je ne pouvais rien contre eux. Je savais que je ne gagnerais pas.

Je connais Gabrielle depuis toujours. Elle est, comme moi, native de Saint-Hector. Ma mère possède même des photos de nous deux, tout petits, au parc municipal en train de jouer dans le sable. Anthony et moi avons traversé le primaire à ses côtés. C'était alors une fille comme une autre. Nous la côtoyions dans la cour d'école, nous l'invitions à jouer au ballon avec nous. Je crois même avoir déjà dansé avec elle dans une de ces danses d'école bidon durant notre sixième année.

Tout a changé lorsque nous sommes entrés à Anna Caritas pour notre première année de secondaire. Peut-être que l'uniforme classique que tous les élèves doivent porter lui donnait un certain charme ? Ou bien il s'était passé quelque chose d'inexplicable durant l'été entre la sixième année et la première secondaire qui lui avait été particulièrement favorable… Toujours est-il que Gabrielle est apparue sous un nouveau jour aux yeux d'Anthony. Dès la première journée de la rentrée, il a jeté son dévolu sur elle. Il ne parlait que de ça, de comment le vent semblait se lever chaque fois qu'elle souriait, faisant danser ses cheveux, leurs reflets roux brillant au soleil, d'à quel point ses yeux noirs paraissaient soudain cacher tout un monde secret. Elle a fini par succomber à son jeu de charme, et dès notre premier Noël au collège, ils formaient un couple.

Ça aurait pu être pire, j'imagine. Je n'aimais guère jouer au chaperon, et pendant un moment, j'ai cru que plus jamais je n'aurais de conversation avec Anthony sans qu'il y glisse une remarque sur sa nouvelle blonde. C'était à la limite du supportable. Des midis entiers à les regarder s'embrasser, s'élancer dans une guerre infinie de « Je t'aime. Je t'aime plus.

Je t'aime à l'infini. À l'infini + 1 ». Puis, avec le temps, j'ai découvert Gabrielle sous un nouveau jour. J'ai appris à l'apprécier. Elle est devenue une amie. Nous avons beaucoup de choses en commun… plus qu'elle n'en aura jamais avec Anthony.

— Je dis pas non, ai-je fini par répondre.

Gabrielle a levé les bras dans les airs en signe de victoire tandis qu'Anthony m'a assené un coup bien senti sur l'épaule. Je savais bien que l'opportunité de passer du temps avec Gab sans aucune présence parentale lui paraissait une option beaucoup plus alléchante qu'une soirée dans le sous-sol humide de ma maison à faire le truc le plus *geek* de tous les temps.

— Will, t'es le meilleur ! m'a lancé Gab.

— J'ai pas dit oui, encore !

Main dans la main, les deux m'ont devancé en direction de la sortie de l'aile ouest, où nous nous donnions généralement rendez-vous avant et après les classes. Sabrina nous y attendait, ses cheveux blonds montés en chignon, dégustant un suçon de manière désinvolte. Lorsqu'elle nous a vus sortir, elle a monté ses verres fumés sur le dessus de sa tête et s'est tout de suite armée du sourire le plus hautain de tout Saint-Hector.

— Ça vous a donc ben pris du temps ! J'étais en train de mourir.

Elle a laissé passer les tourtereaux et a dévalé les marches de pierres à mes côtés en sautillant.

— Salut Sabrina, que je lui ai dit.

Sans me regarder, elle a tout simplement répondu :

— Hey. Salut.

J'ai levé les yeux au ciel en tentant de me convaincre qu'au moins, elle avait remarqué mon existence, que sa froideur devait être une des multiples facettes « charmantes » de sa personnalité. Si Gab s'était attachée à elle, il devait bien y avoir une raison.

Les autobus avaient déjà quitté l'allée devant l'école. Il ne restait plus qu'une poignée de locaux et quelques pensionnaires, éparpillés çà et là sur la pelouse qui s'étendait devant le collège. J'ai passé une main dans mes cheveux pour replacer mes mèches récalcitrantes. Marcher sur le terrain de l'école entouré de ce trio me faisait toujours prendre conscience de mon apparence. Je savais que nous attirions les regards malgré notre indifférence pour le commun du campus. Si j'avais l'impression de ressembler à un minus aux côtés d'Anthony, ce n'était rien comparé à Sabrina qui, aux yeux d'une bonne partie des filles de notre année, était un modèle à suivre. Certaines, au grand désespoir de Gabrielle qui trouvait cela ridicule, lui vouaient un culte sans nom. Elles imitaient tout d'elle : de la manière dont elle se coiffait jusqu'au parfum qu'elle portait. De toute évidence, Sabrina n'y était pas insensible. Elle aimait être admirée. Surtout par les garçons.

Bien qu'elle fût un brin narcissique, Sabrina n'avait pas une mauvaise réputation, au contraire. Elle était considérée comme gentille et généreuse, comme la fille qui savait toujours rire d'une bonne blague et qui privilégiait le plaisir dans toute chose. Ce qui, malgré le fait qu'elle fasse partie des temporaires de Saint-Hector, lui donnait une aura de popularité incontestée. Après tout, Sabrina était le genre d'élève typique d'Anna Caritas. Enfant unique, elle a grandi en milieu aisé, en obtenant toujours ce qu'elle voulait. Ses parents, souvent partis à cause du boulot, compensaient leur absence en satisfaisant ses moindres caprices, ce qui faisait d'elle une petite princesse gâtée pourrie. Ses notes auraient dû lui fermer les portes du collège, mais tout le monde savait que quelques dons à l'école pouvaient y faire entrer n'importe qui, même le pire des crétins.

— J'ai invité Anthony et Will à ton party demain.

— Ah ! Tant mieux ! Laurie a insisté pour que j'invite Maddox… Il se sentira moins seul s'il y a d'autres gars !

Il ne manquait plus que ça. Non seulement Anthony voulait me traîner chez Sabrina, en plus, j'allais devoir m'imposer dans un party de filles ! Mon ami, évidemment, a adroitement évité mon regard, feignant d'être hautement intéressé par quelque chose au loin.

Nous étions à mi-chemin entre l'école et la rue lorsque quelqu'un a filé en trombe à côté de nous, accrochant Sabrina au passage.

— Hey ! Tu pourrais faire attention, quand même ! s'écria-t-elle, offusquée.

D'instinct, nous nous sommes arrêtés de marcher. Sabrina s'est agrippé l'épaule comme si elle venait de se faire donner un vaccin. Elle avait les yeux exorbités. C'était Marianne Roberts qui fonçait d'un pas rapide vers son horriblc auto brune. Elle ne s'est même pas retournée vers Sabrina pour s'excuser. Rien.

— Non, mais franchement ! Pour qui elle se prend, elle ? J'espère juste que…

Sabrina n'a pas eu le temps de finir sa phrase qu'un cri guttural est venu briser la tranquillité de l'après-midi. Tout le monde a paru se figer pour se retourner vers l'école, d'où était parvenu le hurlement. Même Marianne a freiné son élan pour s'immobiliser à la hauteur de sa voiture. Autour, les gens se sont mis à tendre le doigt en direction du toit de l'imposant édifice, quelque part au-dessus de l'aile est.

Nous étions loin. Trop loin, du moins, pour distinguer correctement son visage. Chose certaine, ses habits indiquaient que c'était un élève de l'école. À voir sa carrure, il devait probablement être en quatrième ou en cinquième. Il se tenait sur le bord de la toiture, les bras ouverts en croix, ses cheveux mi-longs volant derrière lui sous l'emprise du vent. Quelqu'un, au loin, lui a crié quelque chose d'inaudible. Pour la deuxième fois dans la même semaine, le temps a semblé suspendu. Gabrielle s'est réfugiée dans les bras d'Anthony, une main portée à sa bouche béante. Je ne l'ai pas réalisé sur le coup, mais Sabrina agrippait fermement la manche de ma veste, terrorisée par ce que nous étions en train de voir.

Un nuage solitaire est passé devant le soleil, assombrissant la scène de façon inquiétante. De nouveau, le garçon a poussé un hurlement éraillé, comme une longue plainte de douleur. Le genre de cri à vous faire dresser tous les poils du corps. Quand j'y songe, j'en ai encore des frissons. Son rugissement a duré plus longtemps que le précédent, se répercutant en écho autour de nous… Devant la consternation générale, le garçon s'est élancé dans le vide en continuant de hurler. Son cri n'a cessé que lorsque son corps désarticulé a frappé le sol.

Gabrielle s'est enfoui la tête contre le torse d'Anthony en poussant un cri aigu. Sabrina et moi sommes restés plantés là, en état de choc, pendant qu'une poignée d'élèves se précipitaient vers le corps inanimé du garçon. Le nuage dans le ciel a poursuivi sa route et le soleil est revenu frapper l'école de plein fouet, comme si rien de tout cela n'était arrivé.

J'ignore combien de temps nous sommes demeurés immobiles à regarder le chaos se dérouler devant nos yeux, mais au bout d'un moment, derrière moi, j'ai entendu une portière se refermer avec fracas. Je me suis retourné mécaniquement, juste à temps pour voir la voiture de Marianne Roberts démarrer en vitesse.

DEUX

— Nous, on était là. On a tout vu !

Sabrina avait l'air presque fière de déclarer cela. Accoudées à l'îlot de la cuisine, Laurie et Sarah se sont penchées davantage vers elle pour s'abreuver de l'anecdote détaillée des événements qui s'étaient déroulés la veille.

Dégoûté par autant de fascination pour le macabre, j'ai attrapé une cannette dans le frigo avant d'aller rejoindre Anthony et Maddox qui faisaient semblant de ne pas s'emmerder autour de la grande table en bois de la salle à manger.

— Sérieux, *man*, je regrette quasiment notre marathon de *Star Wars*, m'a avoué Anthony, l'air complètement blasé.

J'ai pris place à côté de Maddox, qui s'est aussitôt retourné vers moi nerveusement. C'était la première fois que je le côtoyais en dehors des murs du collège. Je le connaissais surtout parce qu'il jouait dans la même équipe de volley qu'Anthony, en plus d'être un des joueurs étoiles des C.A.C. Malabars, deux fois champions de la coupe intercollégiale de basket-ball.

Tout le monde à l'école sait qui est Maddox Gauvin. Élève de troisième, il a d'abord été pensionnaire pendant deux ans avant que ses parents décident de louer une petite maison à l'orée du ciné-parc abandonné, à quelques coins de rue de chez Sabrina. Maddox est un des rares à être passés du côté obscur d'Anna Caritas en devenant résident de Saint-Hector, ce qui lui conférait le respect des jeunes de la ville tout en lui permettant de garder son statut privilégié auprès de l'internat – on le voyait rarement en compagnie d'autres gens que ses amis pensionnaires. Ça jouait aussi contre lui puisqu'il se retrouvait prisonnier d'un entre-deux dans le flou social du collège. Mais à voir le nombre de filles qui tournaient autour de lui, il n'était pas à plaindre.

— Vous l'avez vraiment vu se pitcher en bas de l'école ?

— Fie-toi sur moi, c'était pas le fun.

— Wow. J'en reviens pas encore ! Y a dû se passer de quoi, ça s'peut pas. J'ai habité dans la même unité que lui pendant deux ans, pis jamais j'aurais pensé qu'il aurait pu faire quelque chose comme ça !

Justin Chen était un pensionnaire d'Anna Caritas qui terminait son secondaire V. Premier de classe, élève modèle, on lui décernait méritas par-dessus méritas. Il s'était même vu remettre le prix de l'élève le plus de bonne humeur au dernier bal de fin d'année. Or, la veille, alors que la semaine de classes venait de prendre fin, il s'était dirigé tout droit vers l'aile est de l'école, là où se trouvaient les unités de vie des pensionnaires, sans dire un mot à personne. Il avait pris soin de passer à sa chambre pour déposer ses affaires, il s'était brossé les dents, il avait actualisé son statut sur les médias sociaux – une phrase typique du genre « Enfin vendredi ! » – puis, quelques minutes plus tard, il avait emprunté l'escalier de service qui montait sur le toit de l'école.

Une chute délibérée de cinq étages. Si ce n'avait pas été de la pelouse détrempée par la fonte des neiges, qui avait amorti le choc, il serait sans doute mort sur le coup.

Dans tout Saint-Hector, ce fut la consternation. Si le retour de Marianne Roberts avait semé l'agitation dans la ville, ce n'était rien comparé à l'étrange envolée d'un des diamants bruts de l'école.

Anthony s'est redressé en disant à voix basse :

— Ma mère a été à la réunion d'urgence de l'école ce matin, pis elle est revenue avec plein de brochures sur le suicide pis les lignes d'aide pour les jeunes en détresse. Elle est persuadée tout à coup que j'suis dépressif. C'est *fucked up*.

— Moi, ma mère a juste ri quand elle a reçu l'appel de convocation, ai-je répondu. Tu connais son opinion sur les pensionnaires… Ça lui donne juste une raison de plus pour chialer contre ceux qui…

Quand j'ai vu l'expression qui venait d'apparaître sur le visage de Maddox, je n'ai pas osé finir ma phrase. Ma mère a en aversion la décision de certains parents bien nantis d'envoyer leurs jeunes pourrir deux cents jours par année dans un collège privé, mais Maddox était la preuve vivante qu'il y avait des exceptions. Même si, en réalité, il était l'un d'eux, Maddox n'avait jamais perpétué la rivalité entre les Hectoriens et les pensionnaires. Il avait beau se tenir presque uniquement avec des gars de l'internat, il demeurait fidèle à son image lui-même : un gars sympathique et sociable qui n'avait rien à foutre de l'opinion des autres. Maddox était un gosse de riches, oui. Mais il était différent.

Créant la diversion parfaite, Gabrielle a fait irruption dans la cuisine. Elle s'est glissée sur le banc de bois pour aller se lover contre Anthony.

— Sont où, les autres ? a demandé Sabrina du comptoir.

Gabrielle a haussé les épaules.

— Sont parties. Demetra a un couvre-feu à respecter et Rosalie a décidé de partir avec elle.

Sabrina a froncé les sourcils. Non seulement son petit party ne levait pas, mais si ses convives commençaient déjà à s'en aller, les chances qu'il se poursuive étaient presque nulles. Elle a disparu dans le salon brièvement avant de revenir avec deux bouteilles en vitre qu'elle a déposées bruyamment sur l'îlot central. Derrière moi, Laurie et Sarah ont lancé un petit cri d'excitation tandis que Gab levait les yeux au plafond, exaspérée.

— Shooters! a lancé Sabrina avec un peu trop d'enthousiasme.

— Sab, tes parents vont te tuer! a répliqué Gab en direction de son amie.

— Arrête donc! Ils s'en rendront même pas compte!

Anthony et Maddox ne se sont pas fait prier et ont quitté la table pour se diriger au centre de la cuisine, où Sabrina s'affairait à trouver des petits verres dans les armoires. J'ai regardé Gabrielle qui arborait le même air découragé que moi.

— Merci pour la «charmante» invitation, que je lui ai dit.

— Pffff! Ça vaut toujours mieux que de rester chez vous, non?

Je lui ai souri en haussant les épaules, hésitant entre l'envie d'éclater de rire et celle de m'enfuir en courant. Avoir su que Demetra rentrait chez elle, je l'aurais peut-être suivie. Après tout, elle n'habitait qu'à quelques maisons de chez moi. Gabrielle s'est levée à son tour en me donnant une petite tape sur l'épaule.

— Allez, Will. Fais pas ton gâcheux de party!

Je me suis glissé entre Sarah et Gabrielle autour de l'îlot. Sabrina était en train de verser un liquide transparent dans les verres à shooter qu'elle avait alignés devant elle. J'ai regardé Sarah qui souriait à s'en fendre le visage.

— Qu'est-ce que c'est?

— De la vodka, je pense, m'a-t-elle murmuré en ricanant.

Sabrina a distribué les verres en montant le volume de la musique à l'aide de son téléphone. La basse intense de la pop bonbon qu'elle affectionnait particulièrement a envahi la cuisine, et elle s'est mise à hurler de plaisir en levant son verre bien haut. Nous l'avons tous imitée avant de caler d'un coup le liquide au goût âcre.

J'ai voulu vomir. J'ai retenu mon haut-le-cœur de toutes mes forces en sentant la vodka brûler mon œsophage. Ma mère aurait sans doute été furieuse si elle avait su ce que j'étais en train de faire. Je lui avais dit qu'Anthony et moi allions regarder des films chez Sabrina… J'avais omis de lui préciser que ses parents étaient absents. Maman n'est pas du genre à s'en faire avec les détails. Elle me fait confiance. Elle en a déjà plein les bras avec mes deux petites sœurs sans avoir à s'inquiéter pour moi. Cependant, elle n'aurait pas été d'accord pour que je boive de l'alcool, sans supervision parentale par-dessus le marché.

J'ai à peine eu le temps de déposer mon verre sur le comptoir, Sabrina était déjà en train de le remplir. J'ai secoué ma tête vigoureusement pour faire disparaître le goût dégueulasse de la gorgée que je venais d'avaler en lançant un sacre du bout des lèvres. À mes côtés, Sarah ricanait nerveusement, suivie par Laurie qui, elle, avait l'air plutôt impressionnée par les agissements de Sabrina.

J'ai senti la main de Sarah effleurer le haut de ma cuisse avant de remonter tranquillement le long de mes fesses. Elle a saisi son verre en me frôlant la main avant de me lancer un regard timide et amusé, se mordant la lèvre inférieure. J'ai attrapé le mien et je lui ai rendu son sourire en cognant mon shooter conte le sien. Le goût était toujours aussi horrible, mais les chatouillements d'excitation qui se répandaient dans mon ventre occupaient désormais toutes mes pensées.

Je supportais mal l'alcool. Nous le supportions tous mal, sauf peut-être Maddox qui était un peu plus vieux, un peu plus bâti que nous. Encore là, il a été le premier à se laisser tomber sur un fauteuil, ses jambes se dérobant sous son poids.

Si au départ j'ai eu l'impression que ça ne me faisait aucun effet, j'ai vite changé d'avis quand est venu le temps de mettre un pied devant l'autre. Sab venait de tamiser l'éclairage et dansait au rythme de la chanson, les bras en l'air, les yeux fermés. Laurie l'a tout de suite imitée, suivie de Gabrielle et Anthony, l'un contre l'autre. Moi, j'essayais simplement d'empêcher ma tête de tourner. Sarah a rapidement attrapé ma main et m'a entraîné un peu plus loin, à l'écart des autres. Je me suis laissé tomber sur le tapis qui recouvrait les premières marches de l'escalier menant au deuxième étage de la maison. Au son de la musique indigeste de Sabrina, j'ai perdu le contrôle et j'ai attiré Sarah vers moi pour l'embrasser avec une fougue que je ne me connaissais pas.

Elle m'a rendu mon baiser. Pendant longtemps. Je n'arrivais pas à y croire. En temps normal, jamais je n'aurais osé ne serait-ce que penser faire une chose pareille, parce que mon cerveau aurait roulé à cent kilomètres à l'heure, analysant mes moindres gestes. Je n'ai jamais été le genre de gars à prendre les devants avec les filles. Au contraire. Je dissimulais habilement mon intérêt pour elles, trop effrayé par la possibilité du rejet. Pourtant, je me retrouvais là, dans le noir, avec une des plus belles filles de notre année... et elle m'embrassait !

J'aurais bien voulu que ça s'éternise. J'avais l'impression que plus nous nous embrassions, plus je prenais de l'assurance. Mais de la cuisine, nous avons entendu Sabrina crier « Shooter ! » de nouveau, et c'est à cet instant que Sarah s'est redressée en portant une main à sa bouche. Quelques secondes plus tard, elle était recroquevillée devant la cuvette des toilettes et vomissait toute la vodka qu'elle avait bue.

Je suis allé rejoindre Maddox dans le salon et je me suis affalé au pied du sofa pour fixer la télévision avec lui. Sur l'écran, les images d'un vieux film d'horreur défilaient sans que je sois capable de les discerner clairement. Visiblement, Maddox trouvait le tout assez rigolo et s'esclaffait à toutes les scènes en pointant mollement l'écran. Moi, j'avais trop mal au cœur pour m'amuser. Je n'aurais pas dû accepter les offrandes de l'infâme Sabrina, même si ça venait de me valoir une séance mémorable avec Sarah.

J'ai fermé les yeux de toutes mes forces. J'avais la sensation que la maison tournait autour de moi, que mon âme tentait de s'échapper de mon corps. Je me suis senti tomber et, même si c'était terrifiant, je me suis laissé aller. N'importe quoi pour oublier la nausée.

Lorsque j'ai ouvert les yeux, ça m'a pris quelques secondes avant de réaliser qu'il n'y avait plus de musique. Tout le monde nous avait rejoints, Maddox et moi, au salon.

— Rebienvenue parmi nous, Will! a dit Anthony en me voyant revenir à moi.

Il avait pris la place de Maddox sur le fauteuil. Gabrielle était assise par terre devant lui. Laurie et Sabrina s'étaient quant à elles réfugiées sur le sofa derrière moi et semblaient en grande discussion. À mes côtés, emmitouflée dans une couverture, Sarah regardait la télévision, les yeux rouges, l'air malade.

— Ça va? que je lui ai demandé en lui donnant un petit coup de coude.

Elle a soulevé mon bras en saisissant ma main et s'est glissée contre moi, la tête sur mon épaule.

— Je m'excuse… j'ai été malade, a-t-elle soufflé.

Ça, je m'en doutais bien puisque régnait encore l'odeur du vomi dans ses cheveux. Je n'ai pas osé me défaire de son étreinte. Je me suis contenté de lui flatter l'épaule, sous le regard amusé d'Anthony qui m'observait en haussant les sourcils.

Maddox est revenu dans le salon, un énorme verre d'eau à la main. Il s'est laissé tomber sur l'autre sofa en soupirant fortement.

— Plus jamais personne va me convaincre de boire des shooters !

Apparemment, il avait vomi lui aussi. Je n'avais été conscient de rien. Je ne savais même pas combien de temps avait pu s'écouler entre le moment où j'avais fermé les yeux et celui où je les avais rouverts. Je n'étais certain que d'une chose : ce verre d'eau avait l'air d'être la meilleure idée au monde !

Je me suis délicatement séparé de Sarah, qui somnolait devant l'infopub bidon qui jouait à la télé que personne ne semblait véritablement regarder, et je me suis dirigé vers la cuisine.

J'en étais déjà à mon troisième verre d'eau quand Anthony est venu me rejoindre.

— Whoa ! On dirait qu'y a un ouragan qui est passé par ici, s'est-il exclamé. Ça va, *man* ?

J'ai haussé les épaules en calant un quatrième verre. Ça n'allait pas juste mal. J'avais l'impression de m'être fait renverser par un autobus. Tous mes muscles étaient endoloris et ma tête menaçait d'exploser d'une minute à l'autre. L'eau m'apaisait un peu.

L'horloge indiquait que minuit approchait.

Anthony s'est accoudé à l'îlot.

— Ça fait que… toi pis Sarah ?

— Calme-toi. Ça veut rien dire !

Je la connaissais à peine, malgré le fait qu'elle a grandi à Saint-Hector, à quelques pâtés de maisons de chez moi, dans le centre de la ville. Si je la côtoyais à l'école, je n'avais jamais été particulièrement attiré par elle, même si elle était franchement jolie. Les filles comme Sarah et Laurie ne sortaient pas avec des gars comme moi, du moins me semblait-il. Je n'avais jusque-là jamais été courtisé par aucune fille. Il y avait bien eu Jennifer, la première fille que j'ai embrassée dans ma vie. Ça s'était passé à la danse de fin d'année à l'école, l'année d'avant. Mais je n'ai jamais osé la contacter par après.

À mes yeux, Sarah et Laurie n'étaient que les copines de Sabrina. En l'occurrence, elles me traitaient avec le même désintérêt. C'était une réelle surprise de constater que l'une d'elles pouvait s'intéresser à moi. Surtout Sarah, qui ne m'avait jamais porté la moindre attention depuis la maternelle. Dans ma tête, j'aurais sans doute eu plus de chances avec Laurie qui, comme Sabrina, ne m'a jamais parlé lorsque j'étais gamin. Laurie était une temporaire à Saint-Hector. Elle était arrivée le même été que Sab et habitait le même quartier, avec sa tante et son oncle qui l'hébergeaient gracieusement, leur fils fréquentant le collège.

Je me suis versé un autre verre d'eau. Anthony a agrippé un des sacs de chips qui traînaient sur le comptoir, et nous sommes retournés vers le salon.

— Si tu m'avais dit que je frencherais Sarah Comtois un jour, je t'aurais pas cru !

Anthony s'est esclaffé.

Nous avons repris nos places respectives dans la pièce. Tous se trouvaient dans un état assez végétatif, à part Sabrina et Laurie qui parlaient de vive voix par-dessus le son de la télé. Gabrielle, toujours assise par terre, semblait sur le point de perdre patience.

— Non, mais pour qui elle se prend, elle, de se trimbaler dans la ville attriquée comme ça ? Je peux pas croire qu'ils l'aient laissée revenir ! a dit Sabrina.

— Est-ce qu'on peut parler d'autre chose ? Je suis tannée d'entendre parler de Marianne par-ci, Marianne par-là. C'est juste une fille !

— Tu comprends pas, Gab ! C'est pas « juste une fille » ! Tu sais ce qu'on dit sur elle ?

— Moi, a renchéri Laurie, j'ai entendu monsieur McCalfe dire à monsieur Choquette que la direction s'est formellement opposée à son retour, mais qu'ils ont pas eu le choix de la reprendre.

— Il paraît, a ajouté Sab, qu'elle vit seule dans la grande maison où ses parents ont été assassinés !

— Ils sont juste morts. Personne sait vraiment ce qui s'est passé là-bas, rationalisa Gabrielle.

— *Come on*, Gab ! Si la police veut rien dire, c'est qu'y s'est assurément passé quelque chose de louche. Peut-être même d'horrible ! Il avait sa réputation, son père !

— T'habitais même pas à Saint-Hector quand c'est arrivé, Laurie, qu'est-ce que t'en sais ?

— J'en sais ce qu'on raconte. Mon cousin est dans la même année qu'elle, il était là quand ils sont venus la chercher. Il en a fait de l'insomnie pendant des mois ! Ma tante est *pissed off* qu'elle soit de retour.

— Moi, je pense qu'on devrait faire une pétition pour la faire expulser de l'école, a proposé Sabrina.

— Franchement ! Sous quels motifs ? a demandé Gabrielle.

Aucune des filles n'a su trouver une réponse adéquate. Après tout, Marianne Roberts n'avait rien fait de mal, jusqu'à preuve du contraire, sauf être différente des autres. J'ai commencé à regretter amèrement d'être là. Je n'avais pas envie de parler de Marianne, pas avec elles.

Sabrina s'est alors levée solennellement.

— J'ai une idée ! s'est-elle écriée.

Elle est sortie de la pièce en courant pour monter à l'étage, deux marches à la fois.

— Viens, je vais te faire une tresse, a lancé Laurie à Sarah qui s'est levée pour aller s'installer un peu plus loin sur l'énorme lit de coussins que Sabrina avait disposés sur le sol.

Laurie n'était pas du tout délicate et Sarah se tordait de douleur quand Sabrina est revenue dans le salon avec une boîte noire dans les mains.

— Qu'est-ce que c'est ? l'a interrogée Maddox en levant les yeux de son téléphone.

— Des réponses à nos questions.

Sabrina a posé la boîte sur la table basse au milieu de la pièce et nous a tous regardés en croisant les bras, fière de son coup de théâtre.

— Tu me niaises ? a dit Gabrielle.

— Quoi ? T'as peur ? l'a confrontée Sabrina.

— C'est n'importe quoi, ce jeu-là ! Tout le monde sait ça !

— J'ai jamais essayé, moi, est intervenu Maddox.

Je me suis contenté d'observer la boîte avec effroi. Moi, j'avais tenté l'expérience une seule fois. Avec Anthony. Je n'en gardais aucun bon souvenir.

Sabrina a ouvert la boîte soigneusement, comme si elle avait peur qu'elle explose si elle la brusquait trop, révélant son contenu : une vieille planche en bois sur laquelle apparaissaient toutes les lettres de l'alphabet, écrites à l'encre noire délavée. Au bas de la planche, des chiffres de zéro à neuf avaient été gravés, juste au-dessus de **AU REVOIR.** Entre les mots **OUI** et **NON** aux deux coins supérieurs, dans une calligraphie antique, l'inscription :

OUIJA.

TROIS

— Mais où est-ce que t'as trouvé ça ? a soufflé Sarah du bout des lèvres.

— Quand on a déménagé ici, c'était sur une tablette dans l'garage, a répondu Sabrina. Ma mère a voulu le jeter, mais j'ai été le récupérer dans les poubelles sans qu'elle le sache. Mais j'suis pas folle. Maintenant je l'cache dans le grenier, avec les vieilleries de mon père.

— J'aime pas ça, ai-je lancé sans m'en rendre compte.

— Inquiète-toi pas, Will, m'a rassuré Gabrielle. C'est prouvé que c'est notre inconscient qui fait bouger la planchette. J'ai déjà lu là-dessus.

Sabrina a regardé Gab d'un drôle d'air. Si les autres invités n'ont pas eu l'air déconcertés par son affirmation, moi, j'ai compris la réaction de Sabrina. Pourquoi Gabrielle aurait-elle lu sur le sujet ? C'était une fille généralement assez terre à terre, qui ne s'intéressait pas à ce genre de chose. Elle a toujours eu en horreur les films d'épouvante ou fantastiques, affirmant qu'il s'agissait d'une perte de temps. Elle m'a même déjà confié qu'elle ne croyait ni aux fantômes ni à la vie après la mort. Que chaque chose dissimulait une explication scientifique et rationnelle.

Sabrina s'est exclamée, en pouffant de rire :

— Toi ? Toi, Gabrielle Vanier, tu as *déjà lu là-dessus* ?

Gabrielle a évité son regard en haussant les épaules. Pendant que Sabrina sortait la planche de la boîte et que Sarah et Laurie se précipitaient à ses côtés, j'ai pris mon téléphone pour texter Anthony. *OMG. Pire soirée EVER !* De l'autre côté de la pièce, mon ami a regardé son écran en riant. Il a hoché la tête pour me signifier qu'il était d'accord.

Je savais qu'il n'avait pas peur. Lorsque nous étions en sixième année, nous avions emprunté la planche de **OUIJA** d'une fille de l'école pour l'essayer le soir de l'Halloween. Lorsque la télévision s'était allumée d'elle-même, nous avions pris nos jambes à notre cou et nous avions fui sa maison à toute vitesse. Je n'ai pas fermé l'œil pendant plusieurs nuits d'affilée. Ce n'est que beaucoup plus tard qu'il m'a confié qu'il avait dissimulé la manette dans sa poche pour me foutre la trouille. Mais peu importe. Je m'étais juré ne plus toucher à ce jeu débile.

Sarah m'a tendu la main pour que je m'installe à côté d'elle autour de la table basse. Malgré mes réticences, je ne me suis pas fait prier. Quelque chose dans son regard, dans son sourire, me donnait l'espoir que si je me pliais à ses volontés, j'aurais sans doute la chance de l'embrasser de nouveau plus tard.

Maddox s'est immiscé entre Sabrina et Laurie, visiblement excité par la tournure de la soirée. Gabrielle est venue s'asseoir à ma gauche tandis qu'Anthony prenait place entre elle et Laurie. Sans dire un mot, Sabrina a quitté le salon pour y revenir avec des chandelles plein les mains, qu'elle a disposées aux quatre coins de la pièce. Résigné, je l'ai aidée à allumer chaque bougie avec un vieux paquet d'allumettes que je traînais toujours dans mes poches sans savoir pourquoi. Après avoir éteint la télé, tiré les rideaux et tamisé les lumières, j'ai repris ma place autour de la table. Sabrina a semblé admirer son installation un moment. Puis, elle a pris une grande inspiration et s'est accroupie face à la planche, l'air solennel.

Je dois avouer qu'à cet instant précis, j'étais assez fébrile. Était-ce la présence de Sarah à mes côtés ou bien l'idée d'invoquer les esprits ? Un peu des deux. En face de moi, Laurie pouvait à peine dissimuler son excitation. Elle gloussait nerveusement en assénant à Anthony de petites claques du revers de la main. Celui-ci affichait un air confiant, presque détaché. Sur le coup, je l'ai soupçonné d'être en train d'élaborer mentalement un plan pour faire peur à tout le monde. C'est son genre.

Sabrina a fait signe à Maddox d'attraper la planchette dans la boîte. Il s'est étiré pour l'agripper. Elle avait une forme étrange, comme une goutte un peu élancée, presque difforme. Si celle que nous avions utilisée, Anthony et moi, était en plastique noir, la planchette de Sabrina semblait avoir été sculptée dans du bois et teinte à l'aide d'un vernis rougeâtre. C'était macabre.

Sab a tendu les bras de chaque côté d'elle, paumes vers le plafond, en nous sommant de former une chaîne d'énergie avec nos mains. J'ai senti les doigts de Sarah entrelacer les miens. Elle m'a fait un petit clin d'œil en souriant. J'ai regardé Gabrielle, qui a pris ma main en levant les yeux.

— Maintenant, relaxez, a murmuré Sabrina d'une voix grave. Fermez les yeux. Prenez le temps de respirer profondément. Détendez vos muscles. Ouvrez votre esprit. Sentez l'énergie autour de vous et laissez-la envelopper votre corps. Ce soir, nous interrogeons l'au-delà afin d'obtenir des réponses à nos questions. Ce soir, nous devenons des transmetteurs de vérité.

Anthony a eu beau essayer de se retenir, il a éclaté de rire.

— Vraiment, Sab ?

— Chuuuuuut ! l'a réprimandé Maddox le plus sérieusement du monde.

En voyant l'air ahuri de Laurie, j'ai été saisi d'un fou rire contagieux qui s'est propagé rapidement autour de la table. Anthony m'a regardé en haussant les sourcils, incapable de croire que nous étions en train de vivre ça. Gabrielle se retenait pour ne pas pouffer de rire.

— *Come on!* Faut être sérieux, sinon ça marchera pas, s'est plainte Sabrina, offusquée par notre manque d'implication.

— OK, OK! a dit Gabrielle en se secouant les épaules pour calmer son envie de rigoler.

Elle a fermé les yeux.

Anthony aussi.

Moi aussi.

Je me suis laissé prendre au jeu. J'ai éprouvé une sensation étrange au creux des reins, comme si je venais d'embarquer dans un manège. Tant qu'à être là, me suis-je dit, aussi bien voir ce qui en découlerait. Les yeux clos, je pouvais presque sentir la chaleur dégagée par les chandelles qui nous entouraient. Je n'entendais plus que le bruit du vent dans les feuilles des arbres, de l'autre côté de la grande fenêtre du salon. Je me suis senti tranquillement détendu au son de la respiration de plus en plus régulière des autres. Rapidement, nos inspirations et nos expirations se sont synchronisées.

La voix feutrée de Sabrina est venue briser le silence.

— OK. Je pense qu'on est prêts.

J'ai entrouvert les yeux. Dans la pénombre, je pouvais désormais distinguer chaque objet, chaque ombre avec précision. Le silence était maintenant si épais que le moindre son semblait résonner à travers toute la maison. Sarah a serré ma main avec plus de vigueur. Dans ma paume, un picotement étrange se répandait dans tous les sens ; on aurait dit qu'une horde de fourmis tentait de s'en échapper pour remonter mon avant-bras.

Maddox a déposé lentement la planchette de bois sur la planche de jeu.

— Surtout, nous a ordonné Sabrina, ne brisez pas le lien.

Maddox et Sabrina ont approché leurs mains enlacées de la planchette en se lançant un regard furtif. Ils y ont déposé chacun leur index et leur majeur en frémissant. J'ai tenté un coup d'œil vers Anthony, mais il était trop occupé à regarder la planche avec amusement. Lorsque la planchette s'est mise à glisser sur la planche, Gabrielle a agrippé ma main plus fermement. J'ai senti mon cœur battre plus rapidement, jusque dans mes tempes. *C'est truqué. C'est juste leur subconscient. Ce n'est pas vrai*, me suis-je répété. Mais la planchette a continué d'effectuer des boucles en forme de huit.

Sabrina, les yeux exorbités, a lancé du bout des lèvres :

— Maddox, si c'est toi qui fais ça, c'est pas drôle !

Maddox a ouvert la bouche pour répliquer, mais la planchette s'est dirigée d'un coup sec vers l'inscription **OUIJA** avant de s'immobiliser. Il a secoué la tête en regardant Sabrina, subjugué.

— J'te jure, Sab, c'est pas moi !

Anthony m'a fait un petit clin d'œil amusé avant de s'écrier :

— Oh là là ! Y aurait-il un esprit parmi nous ?

La planchette a bougé de nouveau sous les doigts de Sab et Maddox et, d'un mouvement hésitant, elle est allée se poser sur le mot **OUI.** Laurie a lancé un petit rire nerveux en direction de Sarah qui continuait de me couper la circulation dans les doigts.

— Ouuuuuuh ! a encore rigolé Anthony, en faisant semblant de trembler de peur.

Je me suis mis à ricaner, mais le regard haineux de Sabrina m'en a aussitôt coupé l'envie. Elle a ensuite jeté son dévolu sur mon ami en articulant « Ta yeule ! » avec ses lèvres. Sabrina prenait visiblement cette séance très au sérieux. Elle s'est repositionnée avant de reprendre le contrôle du jeu.

— Ô esprit ! Dis-nous ton nom.

La goutte de bois rouge s'est remise à faire des mouvements circulaires, de façon beaucoup plus rapide et saccadée qu'au départ. Si Sabrina et Maddox ont eu l'air affolés, j'ai plutôt trouvé ça drôle. *Ô esprit ? Vraiment ?* J'ai eu envie de rire de plus belle. Pour que la planchette bouge avec autant d'assurance, elle devait certainement être poussée par l'un ou l'autre… L'objet a fini par ralentir. Rien n'avait de sens. Leurs doigts ont suivi la pointe de la goutte aux quatre coins de la planche de jeu avant qu'elle retourne s'installer face à l'inscription **OUIJA.** On aurait dit que les deux tentaient de prendre le contrôle de l'objet sans y arriver.

Maddox, le plus sérieusement du monde, a chuchoté :

— Tu veux pas nous dévoiler ton nom ?

La planchette a fait un mouvement brusque vers le **NON.** Maddox, soudainement pris de panique, a écarquillé les yeux et a retiré sa main du jeu comme s'il venait de recevoir une décharge électrique.

— J'aime pas ça ! a-t-il lancé.

Sabrina a tourné la tête vers lui au ralenti. On aurait dit que tout son corps était engourdi, que chaque geste devenait pénible. Elle a fixé Maddox droit dans les yeux sans cligner.

— Repose tes doigts sur le jeu, Mad. C'est dangereux de briser le lien avant d'avoir dit « au revoir ». Tu peux plus reculer maintenant.

Maddox, hésitant, a reposé ses doigts sur la planchette en fermant les yeux. Pendant que Laurie continuait de pousser des petits gloussements nerveux, Gabrielle a envoyé un regard réprobateur à Sabrina. Ce n'était, après tout, qu'un jeu. Pas de quoi en faire tout un plat.

Dès que Maddox a remis ses doigts sur la planchette, celle-ci s'est mise de nouveau à glisser avec vigueur sur la planche. *Ça doit être lui qui la fait bouger*, ai-je songé en m'esclaffant intérieurement. Aussitôt, la pointe a effectué un mouvement sec pour retourner sur le **NON.**

— Non ? « Non » à quoi ? a susurré Sabrina, presque pour elle-même, comme si nous n'existions plus.

Elle avait l'air interloquée.

La planchette s'est animée de nouveau pour épeler quelque chose. À ma droite, Sarah a verbalisé chaque lettre à voix haute avec énervement :

J-E-B-O-U-G-E

— *Jebouge*, a-t-elle fini par murmurer. Je bouge.

— J'comprends pas ! s'est écriée Sabrina, à bout de nerfs.

Un frisson dans le dos.

Un long frémissement qui a parcouru ma colonne vertébrale. J'avais beau me dire que c'était de la frime, que c'était eux qui contrôlaient le jeu, que tout cela était ridicule, un mauvais pressentiment s'est installé au creux de mon ventre. Un moment de terreur. *Cette chose me répond*, ai-je pensé. *Ça lit dans ma tête.* J'ai eu froid, tout d'un coup.

La lumière des bougies a semblé s'atténuer pendant un bref instant, plongeant le salon dans une ambiance étrange. J'ai cru voir du coin de l'œil un mouvement dans la pièce. J'ai eu beau regarder autour de moi, à la recherche de quoi que ce soit qui aurait pu se déplacer… Rien. Juste les ombres dansantes de nos silhouettes s'allongeant sur le plancher et les murs, comme des spectres sinistres. Je n'osais pas me l'avouer, mais à ce moment-là, j'ai commencé à ne pas aimer le sentiment bizarre qui s'emparait de moi petit à petit. Quelque chose que je n'avais pas ressenti depuis longtemps. La peur. Une peur irrationnelle. Un vertige inexplicable qui me donnait l'impression que la noirceur se refermait sur moi. *C'est tout dans ta tête, Will. C'est tout dans ta tête*, que je me suis répété.

J'ai sorti les autres de leurs pensées en m'adressant directement à la planche de jeu :

— Nous avons des questions pour toi. Acceptes-tu d'y répondre ?

Sabrina a sursauté juste avant de me lancer un regard ahuri. La planchette s'est déplacée immédiatement vers le **OUI.**

Plus nous communiquions avec cette chose, plus l'objet de bois avait l'air de prendre de l'assurance. Laurie ne riait plus. Elle secouait sa tête d'un côté et de l'autre, refusant de croire ce qu'elle était en train de vivre. Même Anthony et Gabrielle semblaient solennels. Sarah, quant à elle, serrait désormais ma main si intensément que je commençais à perdre la sensation dans mon bras.

— S'il ne veut pas nous dire son nom, on ne devrait pas lui faire confiance ! a craché Maddox, presque dégoûté.

Ses paroles sont restées suspendues comme un écho dans la pièce. Laurie a acquiescé d'un mouvement de tête discret en direction de Sabrina qui, elle, gardait les yeux rivés sur la planche de **OUIJA.** Sans prêter la moindre attention au commentaire de Maddox, elle s'est penchée un peu plus vers le jeu et a demandé :

— Connais-tu Marianne Roberts ?

L'effet a été instantané.

Violent.

La goutte de bois a glissé frénétiquement d'un côté et de l'autre de la planche, à un point tel que Sab et Maddox ont eu du mal à la suivre. Elle se déplaçait en émettant un grincement strident sur le bois, comme si les deux qui la contrôlaient y exerçaient une pression énorme. Puis, sans crier gare, elle s'est mise à faire des allers-retours sur le **NON.**

NON-NON-NON-NON-NON

J'ai vu les flammes des bougies s'allonger, tripler de taille, sans en croire mes yeux. *J'hallucine. C'est sûr que j'hallucine!* Le salon a été envahi par une lueur orangée qui nous enveloppait de toutes parts. Plus les flammes frétillaient, plus la pièce semblait s'obscurcir. J'ai eu l'impression de sentir un courant d'air dans mon dos… mais c'était impossible. Toutes les fenêtres étaient fermées.

Sarah s'est mise à trembler. Un coup d'œil rapide vers Anthony m'a confirmé que je ne rêvais pas. Il se passait quelque chose. Quelque chose d'inexplicable. Et la terreur dans ses yeux ne mentait pas.

Sabrina, comme hypnotisée par le jeu, a continué sans se rendre compte du phénomène qui menaçait de mettre le feu aux meubles.

— Qu'est-ce que t'essaies de nous dire, esprit? Parle-nous!

— Mais arrête! a crié Maddox, hors de lui, les doigts toujours soudés à la planchette.

Sous leurs mains, l'objet a égratigné la planche de bois en s'éparpillant d'un côté et de l'autre à toute vitesse. Au bout d'un moment, j'ai réalisé que la pointe de la goutte épelait un mot. Toujours le même.

M-A-L-M-A-L-M-A-L-M-A-L

— Mal? s'est exclamée Sabrina. Mais qui nous veut du mal? C'est Marianne, c'est ça?

La planchette s'est dirigée droit sur le **NON,** si abruptement que Sab, poussant un petit cri aigu, a dû se plier vers l'avant.

C'est à cet instant précis que j'ai constaté que Laurie avait cessé de rire nerveusement. Elle observait la planche, les yeux écarquillés, les lèvres serrées. Une larme coulait le long de sa joue. Visiblement, elle ne s'amusait plus, elle non plus.

— OK, on arrête maintenant, que j'ai dit à Sabrina. C'est plus drôle.

— Non !

Elle m'a fusillé du regard avec une telle haine qu'elle en était presque méconnaissable. Je me suis figé. Sarah a serré ma main plus fort, suivie par Gabrielle. Derrière Sabrina, les lampes et les bibelots du salon semblaient flotter dans les airs. *C'est impossible. Ce n'est pas vrai.* J'ai eu beau cligner des yeux, l'illusion est demeurée. Autour de nous, le salon prenait vie.

— Sabrina…, a murmuré Gabrielle, la gorge nouée.

Maddox s'est levé brusquement, rompant le lien qu'il avait avec le jeu. Il a eu l'air d'être projeté vers l'arrière avant d'atterrir sur le divan, le visage crispé.

Tout s'est déroulé en une fraction de seconde.

La planchette a glissé sous les doigts de Sabrina pour se propulser tout droit vers la télévision. L'écran a éclaté avec fracas. Il y a eu un vrombissement assourdissant, comme un tremblement de terre, si soudain qu'encore à ce jour je ne suis pas certain de l'avoir vraiment ressenti. Une onde de choc si intense que toutes les chandelles ont été soufflées sur le coup, plongeant la pièce dans l'obscurité la plus totale. Il y a eu un énorme vacarme ; tous les objets autour de nous venaient de retomber en se brisant dans leur chute.

J'ai paniqué. Je ne pouvais plus bouger. J'aurais voulu crier, prendre mes jambes à mon cou et me lancer tête première à travers la fenêtre. Mais j'en étais incapable. J'étais paralysé.

Les hurlements perçants des filles ont rempli la noirceur. Il n'y avait plus que ces sons déchirants, pendant un infime instant qui a paru durer une éternité. Des hurlements de terreur qui se sont immiscés dans les moindres pores de ma peau pour faire se dresser chacun de mes poils.

J'ai senti une main m'agripper par-derrière avec force. Le cri qui est sorti de ma bouche n'avait plus rien d'humain. Il avait remonté tout mon corps pour pulvériser ma gorge et résonner en harmonie avec ceux des autres. Je gueulais sans me contrôler, gigotant de tous mes membres. Je ne voyais plus rien. Je ne ressentais plus rien. Juste l'effroi.

La lumière m'a aveuglé.

Les filles se sont mises à hurler de plus belle. Ce n'est qu'au bout d'un moment que j'ai réalisé que l'éclairage blanc parvenait du lustre au plafond. Je me suis retourné brusquement pour m'apercevoir que Laurie avait réussi à se faufiler parmi le fatras pour atteindre l'interrupteur. Elle y demeurait accrochée, accroupie sur le plancher, le bras dans les airs. Elle tenait l'interrupteur de toutes ses forces comme si elle avait peur qu'une force invisible éteigne de nouveau les lumières. Elle avait le visage inondé de larmes, le contour des yeux rouge, presque violet, et laissait ses sanglots s'échapper bruyamment de sa bouche.

Sarah, qui s'était agrippée à mes épaules, a lâché prise et s'est levée d'un bond pour se mettre à courir vers l'entrée, ce qui a semblé ébranler Laurie qui l'a aussitôt imitée. Je tremblais toujours lorsque je me suis levé à mon tour pour me laisser choir sur le divan. Que venait-il de se passer ? Je n'arrivais pas à mettre des mots sur ce que je venais de vivre. J'ai regardé autour de moi, médusé. Les deux lampes du salon avaient été pulvérisées et leurs morceaux s'étaient éparpillés sur le plancher. Idem pour les bibelots de porcelaine. Par terre, à côté de la télévision bousillée, la planchette rouge gisait à l'envers, immobile. Comment était-ce possible ? Je n'avais pas pu inventer cela. C'était comme si l'objet avait été propulsé par un retour d'élastique… une force invisible. Ni Sabrina ni Maddox n'auraient pu faire ça. Ça dépassait tout entendement.

Anthony a éclaté de rire. Ça m'a surpris sur le coup. Puis j'ai ri, moi aussi, accompagné par Maddox sur le sofa en face de moi. Ça m'a fait du bien. J'avais besoin de rire pour éloigner la sensation désagréable qui refusait de me quitter. Pour anéantir la peur.

Sabrina, toujours à genoux devant la planche, s'est mise à hyperventiler en agrippant sa tête à deux mains. Gabrielle s'est approchée de son amie et s'est penchée pour lui frotter le dos, mais Sabrina l'a repoussée d'un mouvement sec du revers de la main. En entendant le brouhaha que faisaient les filles, elle a relevé la tête et est partie comme une flèche vers le vestibule de la maison, au pied de l'escalier. D'instinct, nous l'avons tous suivie. Hors de question de rester seul dans cette pièce.

— Qu'est-ce que vous faites ? a proféré Sabrina en direction de Laurie et Sarah.

Elles avaient déjà enfilé leurs souliers. Sarah n'a même pas levé les yeux vers Sabrina et a simplement continué d'essayer de rentrer son bras dans la manche de sa veste, sans succès. Ses mains étaient prises de spasmes et son empressement l'empêchait, de toute évidence, d'agir normalement. Laurie a attrapé le premier soulier qu'elle a trouvé par terre et l'a lancé violemment en direction de Sabrina qui se tenait les bras croisés, l'air arrogant, adossée au coin du mur.

— Pourquoi t'as fait ça ? Hein ? Si tu voulais nous faire peur, c'est réussi ! Moi, je reste pas une minute de plus ici !

— *Come on*, les filles, a répliqué Sab en ricanant. C'était ma-la-de ! On a parlé avec un esprit !

— Ouais, ouais, c'est ça ! Mange d'la marde, Sabrina Viau !

Laurie a ouvert la porte en agrippant Sarah par la main pour l'entraîner le plus vite possible à l'extérieur. Sabrina s'est avancée dans l'embrasure en s'appuyant d'une main sur le cadre. Pendant que les deux filles disparaissaient en courant dans l'épais brouillard qui flottait dans la rue, elle n'a pu s'empêcher de rajouter :

— Ben c'est ça ! Allez-vous-en, espèces de connes ! Je vous inviterai pus chez nous !

Elle a claqué la porte avec force, faisant tomber le portrait de famille qui était accroché au mur, juste à côté. Elle s'est échouée par terre et a enfoui son visage entre ses mains en laissant échapper un juron. C'était la première fois que je l'entendais blasphémer. Toutes formes de sacres sont formellement interdites à Anna Caritas et peuvent nous valoir une retenue instantanée. Sabrina avait toujours été trop précieuse pour s'abaisser à ce genre de langage.

Mais la fille que j'avais eue sous les yeux quelques instants auparavant dans le salon n'avait rien de la Sab que je connaissais. Pendant un moment, elle s'était métamorphosée. Ce n'est pas de la haine que j'avais perçue dans son regard… c'était de la jouissance. Elle avait eu du plaisir à provoquer l'esprit. Elle avait aimé nous terroriser.

Nous sommes restés là un moment, à bout de souffle, toujours sous l'emprise de l'adrénaline. Personne n'a osé dire quoi que ce soit. J'ai ramassé le cadre qui se tenait toujours à la verticale au pied du mur et je me suis assis dans les marches en silence, ne sachant pas trop quoi faire. J'ai jeté un coup d'œil au portrait des Viau, entre mes mains. À l'intérieur d'un large cadre à motifs fleuris, une photo datant de quelques années avait été soigneusement fixée. On pouvait y voir monsieur et madame Viau, chiquement vêtus, bras dessus, bras dessous, souriant à pleines dents. Devant eux, au centre du cliché, une main de ses parents sur chaque épaule, une jeune Sabrina fixait l'objectif. J'avais déjà vu ce cadre sans jamais y avoir vraiment porté attention. Je n'avais jamais remarqué les très longs cheveux blonds, presque blancs, de Sab, ni le fard à paupières vert, subtilement appliqué au-dessus de ses yeux. Je n'avais jamais remarqué la tristesse dans son regard, que trahissait son sourire en coin. Mais ce qui m'a frappé le plus à ce moment-là, c'était la façon particulière avec laquelle la vitre qui protégeait la photo s'était brisée en une seule fissure traversant le milieu du portrait à la verticale, comme un éclair qui serait venu rompre la petite Sabrina en deux.

Le regard vide et la voix tremblante, Sabrina a alors murmuré :

— Est-ce que tu y crois, maintenant, Gabrielle ?

À peine a-t-elle eu fini sa phrase qu'un crissement de pneus retentissant s'est fait entendre à l'extérieur. Ont suivi le choc sourd d'un impact violent, les échos du verre qui éclate, puis la longue plainte d'un klaxon tonitruant.

Nous nous sommes regardés, n'osant pas bouger d'un centimètre. Le silence est revenu… puis, au bout de quelques secondes, les hurlements de Sarah ont traversé le brouillard pour se rendre jusqu'à nous.

QUATRE

Assis sur une des marches de béton devant la maison de Sabrina, j'ai suivi la camionnette noire des yeux jusqu'à ce qu'elle s'immobilise lentement. La femme derrière le volant nous a lancé un regard rempli de reproches et de sous-entendus. Elle avait l'air furieuse.

— C'est ma mère, nous a annoncé Maddox sur un ton renfrogné.

Nous l'avons laissé marcher d'un pas lourd vers le véhicule sans même lui dire au revoir. Personne n'avait osé parler depuis que les policiers avaient quitté la maison. Il n'y avait plus rien à dire… Ils avaient pris nos dépositions. Ils avaient appelé nos parents. Ils nous avaient fait la morale puis ils étaient repartis, comme si rien de tout cela n'était arrivé.

Aussitôt la portière refermée, la camionnette s'est mise en route. Maddox a tourné la tête dans notre direction avec une mine de déterré. Je lui ai fait un petit signe de la main, plus par réflexe que par compassion. Je crois que j'étais toujours sonné par la tournure des événements.

Un peu plus loin, le brouillard semblait se dissiper et quelques gyrophares tournoyaient toujours, illuminant au passage le visage des voisins curieux qui s'étaient tirés du lit afin d'apaiser leur curiosité. Les cris stridents de Sarah avaient dû les alerter bien avant l'arrivée des policiers. Les nôtres aussi. Mais aucun d'eux n'était sorti de sa maison pour nous venir en aide. Ils s'étaient contentés d'ouvrir leur lumière et de nous espionner de derrière leurs rideaux.

Les images de cette soirée me reviennent souvent en flashes, surtout la nuit quand je dors. Je l'ai vécue un peu comme on regarde un film, comme si je ne faisais pas vraiment partie des événements. Je me souviens d'être sorti de la maison en courant tout droit vers les cris hystériques de Sarah. Nous avions tous couru. Je me souviens du corps tuméfié de Laurie gisant sur l'asphalte humide. Du sang. Du sang partout. Pendant que Sarah s'accrochait à moi en continuant de hurler le nom de son amie, le conducteur de la voiture accidentée était accroupi sur la pelouse voisine et tentait d'appeler les secours. Il avait du sang qui coulait le long de ses tempes. Je me souviens de ça.

Anthony m'a dit plus tard qu'il a essayé d'empêcher l'hémorragie avec sa chemise, qu'il est resté auprès de Laurie jusqu'à ce que l'ambulance arrive. Gabrielle aussi était là, à ses côtés. Elle a caressé le front de son amie en lui murmurant des paroles apaisantes. Je n'en ai aucun souvenir. En revanche, je me rappelle que Sabrina a fait les cent pas en poussant une multitude de sacres entre deux sanglots. Maddox, paraît-il, est simplement resté en retrait. Il s'est écroulé à genoux par terre, les yeux rivés sur le corps inerte de Laurie. Il n'a bougé que lorsque les secours sont arrivés. Moi, je ne me souviens que de Sarah, complètement démolie dans mes bras, et du brouillard qui semblait nous isoler de la réalité.

Les agents nous avaient déjà sommés de rentrer lorsque les ambulanciers ont embarqué Laurie dans l'ambulance. Je ne les ai pas vus partir. J'aurais voulu être là. J'aurais voulu voir le visage du conducteur meurtrier pour l'imprégner dans mes souvenirs. J'étais trop ébranlé pour retenir quoi que ce soit. Je ne me souviens même pas d'avoir vu Sarah partir avec la deuxième ambulance, en état de choc…

Les parents d'Anthony ont été les premiers à venir le chercher. Son père et sa mère, en robe de nuit, paniqués et en colère. Si les policiers n'avaient pas été là, probablement que son père l'aurait roué de coups, tellement il était hors de lui. Pour ma part, après avoir discuté avec les agents, je me suis éclipsé dans la salle de bain pour passer un coup de fil à ma mère.

— Inquiète-toi pas, m'man. Aussitôt que ça se calme ici, je vais rentrer.

Elle n'avait pas l'air fâchée à l'autre bout de la ligne. Plutôt inquiète. J'ai l'habitude de m'attirer des ennuis, mais jamais auparavant elle n'avait été appelée par la police en plein milieu de la nuit. Je les avais suppliés de ne pas le faire, mais c'est la procédure, paraît-il. Ils devaient appeler les parents de tout le monde. J'ai donc préféré contacter ma mère pour la rassurer un peu, lui donner ma version des faits.

Le brouillard avait presque disparu et l'horizon commençait à s'éclaircir quand la remorqueuse est passée devant la maison en tirant la voiture accidentée. Gabrielle était assise à côté de moi, l'air abattu, tandis que Sabrina se tenait debout derrière nous, adossée au cadre de la porte d'entrée. Elle murmurait des choses incompréhensibles que ni moi ni Gabrielle ne voulions entendre. Elle semblait davantage fâchée que ses parents aient été contactés que défaite par l'accident qui venait de se dérouler à quelques pas de chez elle. Elle n'apparaissait même pas inquiète de l'état de Laurie. Sur le coup, j'ai décidé de l'ignorer. Je ne l'avais jamais portée dans mon cœur de toute façon, et son attitude me donnait une raison de plus de ne pas l'aimer.

Les gyrophares se sont éteints et, une à une, les autopatrouilles sont passées devant nous en cortège avant de tourner le coin de la rue pour prendre la route 33. La dernière a ralenti et s'est arrêtée devant le terrain. La policière qui était au volant a baissé sa fenêtre pour s'adresser à nous.

— Allez-vous être corrects ?

J'ai acquiescé en hochant la tête. Sabrina s'est remise à sangloter avant de rentrer dans la maison. Gabrielle l'a regardée en soupirant.

— Rentrez, les jeunes, restez pas là. Vous allez tomber malades.

La nuit était fraîche et humide. Je ne l'avais pas remarqué. Depuis que le brouillard s'était dissipé, un vent froid s'abattait sur la petite rue, comme un mauvais présage.

La voiture de police a tourné le coin de la rue et le calme a semblé reprendre ses droits sur le quartier. Seul un tintement de vaisselle nous parvenait de l'intérieur. J'ai jaugé Gabrielle du regard. Elle avait l'air aussi inquiète que moi.

Nous sommes entrés pour aller rejoindre Sabrina dans la cuisine. Je n'osais pas retourner dans le salon depuis notre séance de spiritisme idiote. Finalement, au lieu d'avoir obtenu des réponses, nous n'avions que récolté des questions supplémentaires. Et cet accident désastreux qui venait peut-être de tuer Laurie… C'était la faute du **OUIJA,** tout ça… du **OUIJA** et de Sabrina.

Dans la cuisine, Sab était penchée au-dessus de l'évier et lavait frénétiquement les multiples verres que nous avions utilisés dans notre tentative de nous amuser comme le font les adultes. Elle ne nous a pas regardés. J'ai donc attrapé un linge pour essuyer la vaisselle pendant que Gabrielle nettoyait la table et l'îlot central.

Quelque chose en moi me dictait de partir. De m'enfuir de cette maison. J'avais beau être seul avec Sabrina et Gabrielle, j'avais l'impression d'être observé. Que les murs se refermaient sur nous. Tout à coup, cette demeure, dans laquelle je venais de passer ma soirée, me paraissait froide, oppressante. Trop blanche. Trop parfaite. Trop étrange.

L'imagination prend souvent des airs de réalité et s'immisce dans les souvenirs. Cette séance de discussion avec l'au-delà était venue brouiller ma logique. Même si je tentais de me persuader que les objets n'avaient pas bougé, que la planchette de jeu n'avait pas fracassé le téléviseur avec une force surnaturelle, que les flammes des chandelles n'avaient pas triplé de taille soudainement, j'avais vu tout cela. J'étais là. J'aurais voulu demander aux filles leur avis, pouvoir en discuter avec elles. Mais avec ce qui venait d'arriver, c'était délicat. Comme si l'accident de Laurie était relié d'une quelconque façon à tous ces étranges événements.

J'ai déposé le dernier verre propre dans l'armoire avant de la refermer. En me retournant, j'ai sursauté en constatant que Sabrina était à quelques centimètres de moi. Ses yeux rougis ont plongé dans les miens. En voulant récupérer le linge humide, elle a attrapé mes mains et s'est immobilisée.

— Merci, Will. C'est vraiment gentil.

Elle m'a fixé encore un moment puis s'est retournée pour suspendre le morceau de tissu à la poignée du four. Je n'ai pas su quoi répondre. Jamais avant elle ne m'avait appelé par mon prénom. Jamais avant elle ne m'avait regardé aussi honnêtement.

J'ai senti un long frisson parcourir mon corps.

Quelque chose clochait.

Gabrielle est revenue du salon, où elle était allée ranger les bouteilles d'alcool dans l'armoire de bois. Dans ses mains elle tenait la boîte noire du jeu **OUIJA,** presque à bout de bras, comme si elle avait transporté une bête puante. Elle l'a laissée tomber sur l'îlot de la cuisine avec une petite moue dégoûtée.

— J'pense que tu devrais jeter ce truc-là, histoire de plus jamais être tentée d'y jouer.

— C'est juste un jeu, Gab. Ils vendraient pas ça dans les magasins de jouets si c'était vraiment dangereux !

Le visage de Gabrielle est devenu rouge. J'aurais dû intervenir, faire une blague, un commentaire niaiseux qui aurait détendu l'atmosphère. Mais au plus profond de moi, je savais que Gab avait raison d'être en colère.

— Laurie est peut-être morte, Sab ! Morte ! On dirait que tu t'en fous !

— Ben là, franchement ! Ça a pas rapport avec c'te vieille affaire-là !

— Toi pis tes maudites niaiseries ! Si tu lui avais pas fait peur, peut-être qu'elle se serait pas lancée dans la rue en courant comme une conne !

— C'est quand même pas de ma faute !

Gabrielle a ouvert la bouche pour dire quelque chose, le visage crispé. Elle avait l'air d'être sur le point d'exploser. De prononcer des mots qu'elle aurait regrettés plus tard. Je me suis approché pour déposer doucement une main sur son épaule.

— Y commence à faire clair, ai-je dit tout bas. Faudrait penser à rentrer…

Elle a semblé se détendre un peu.

— T'as raison.

Gabrielle est retournée dans le salon pour chercher son sac et son chandail à capuchon. Je suis demeuré avec Sabrina, qui avait le regard fixé sur le plancher, semblant perdue dans ses pensées.

— Aimes-tu mieux qu'on reste avec toi ?

Elle a relevé la tête dans ma direction. Son expression était redevenue froide. Stoïque. Presque méprisante.

— J'suis capable de rester toute seule ! De toute façon, mes parents vont sûrement être *pissed*. Ça fait que c'est pas une bonne idée que vous soyez là quand ils vont revenir.

Ça m'a saisi. Sur le coup, j'ai eu envie de l'insulter. De lui dire quelque chose pour lui faire mal. J'ai senti la frustration monter en moi à la vitesse de l'éclair. Non, mais, pour qui se prenait-elle ? J'essayais seulement d'être gentil. D'être compréhensif et solidaire. Moi, si j'avais fait venir des esprits dans ma maison et que ça avait détruit le salon, je n'aurais pas voulu rester seul à écouter tous les bruits bizarres qui m'auraient entouré.

Gab est apparue en me tendant mon sac à bandoulière. Je l'ai aussitôt enfilé autour de mon cou et je me suis dirigé vers la porte d'entrée. Je voulais sortir de là le plus vite possible. Oublier cette soirée désastreuse à laquelle je ne voulais même pas aller en premier lieu. Encore une fois, je m'étais laissé embarquer par Anthony, par le regard piteux de Gabrielle. Ils avaient réussi à me convaincre. J'aurais dû suivre mon instinct et rester chez moi à regarder *La guerre des étoiles* tranquille, en mangeant une quantité impressionnante de popcorn.

— Texte-moi si y a quelque chose, OK ? a dit Gabrielle à Sabrina.

— Je vais être correcte, Gab.

Gabrielle a eu l'air d'hésiter un instant puis est venue me rejoindre dans l'entrée, le regard fuyant.

En refermant la porte derrière nous, je me suis immédiatement senti soulagé. J'avais enfin l'impression de mieux respirer. Au loin, le ciel commençait à prendre des tons de rose et d'orangé. Il devait être pas loin de cinq heures du mat. Peut-être plus.

En marchant, Gabrielle a sorti son téléphone pour envoyer un message à quelqu'un. Anthony, sûrement. Je ne le lui ai pas demandé. Je me suis contenté de marcher rapidement en direction de la route 33 qui allait nous mener au centre de Saint-Hector. Je savais que si nous marchions à une vitesse raisonnable, je serais chez moi dans les vingt prochaines minutes. La 33 paraissait toujours interminable, mais une fois passée la côte après le ciné-parc, on pouvait déjà apercevoir le clocher de l'église et les colonnes d'Anna Caritas à proximité.

En tournant le coin de la rue, nous avons rejoint la route 33 qui, contrairement à la rue de Sabrina, était toujours plongée dans la brume matinale. Les lampadaires qui ornaient la route n'éclairaient plus vraiment le chemin. Leur lumière jaunâtre se perdait dans le brouillard, et les premières lueurs du jour lui donnaient l'aspect d'un gigantesque nuage de rouille à travers lequel nous devions nous frayer un chemin. De chaque côté de la voie, je ne pouvais distinguer que les longues herbes pourries qui venaient de refaire surface avec la fonte des neiges. À part la longue ligne blanche en pointillé qui disparaissait dans le vide, devant et derrière nous, je ne voyais rien aux alentours. C'était comme si nous faisions du sur-place.

— J'haïs le printemps, a grommelé Gab. J'ai hâte qu'il fasse chaud.

Nous marchions depuis à peine quelques minutes et j'avais déjà le bout des doigts frigorifiés. L'humidité traversait le coton de ma veste pour attaquer ma peau. Je ne voulais que me cacher sous mes couvertures, au chaud, et sombrer dans un sommeil profond.

J'ai eu un regain de motivation lorsque j'ai aperçu, semblant sortir de nulle part, l'ancienne enseigne lumineuse du Ciné-Parc 33. À moitié affaissée, on pouvait encore y lire, sous l'immense logo du cinéma en plein air, **À LA S ISON PRO HAINE** en lettres noires carrées sur la marquise. Gabrielle s'est arrêtée sec et m'a agrippé le bras fermement. Surpris, j'ai cessé de respirer une seconde, tentant de déceler le moindre bruit, le plus minuscule mouvement, n'importe quoi qui aurait pu justifier ce brusque arrêt. Rien. Juste le silence lourd de la brume environnante et le grincement de l'enseigne qui chancelait sous la brise.

— Qu'est-ce qu'y a ? ai-je demandé.

— Un déjà-vu… J'ai déjà vécu ça, avant…

Gabrielle avait l'air troublée, comme si elle était sur le point de se mettre à pleurer. Je déteste cette sensation-là. Ces failles étranges dans le présent qui donnent l'impression d'avoir déjà vécu exactement ce qu'on est en train de vivre.

J'ai voulu me faire rassurant.

— C'est juste la fatigue, Gab. On est bientôt arrivés.

— Non, non, tu comprends pas ! Y avait le brouillard, pis la route, pis toi… C'est exactement comme…

Elle n'a pas eu le temps de finir sa phrase. Un son de cloche a retenti dans le silence, suivi du bruit familier des vibrations d'un téléphone. Gabrielle a plongé la main dans la poche de son jeans avec précipitation.

Elle a respiré un bon coup en allumant l'écran tactile de son téléphone. Ce devait être Anthony qui répondait à son message. Elle a ouvert la messagerie pour constater avec stupeur que c'était Sabrina qui venait de lui écrire. Les yeux ronds, elle m'a montré ce que son amie venait de lui envoyer.

OMG OMG OMG REVIENS VITE JE PENSE QUE

Le message se terminait comme ça. Gabrielle s'est mise à pianoter sur son cellulaire à toute vitesse.

SAB ? ÇA VA ? TU PENSES QUE KOI ?

Nous sommes restés immobiles, les yeux rivés sur le minuscule écran. Aucune réponse. Gab a rapidement renvoyé un autre texto en murmurant :

— J'aime pas ça, j'aime pas ça…

SAB ???????

Elle s'est mise à sauter sur place, impatiente, en secouant son téléphone, comme si Sabrina lui répondrait plus rapidement ainsi. J'ai soupiré. Je n'avais aucune envie de retourner là-bas. Si nous étions vis-à-vis de l'allée qui menait au vieux ciné-parc, c'est que nous avions déjà parcouru la moitié du chemin. De plus, j'étais persuadé que Sabrina, fidèle à elle-même, ne cherchait qu'à attirer l'attention, trop égocentrique pour penser à qui que ce soit sauf à elle-même.

Il y a eu un autre son de cloche suivi d'une vibration. Gab a activé son écran et je me suis approché d'elle pour voir.

C ENCORE DANS MAISON ! J'AI

Il n'y avait rien d'autre sur l'écran, juste ces mots écrits avec empressement qui finissaient abruptement. Mon cœur s'est emballé. Peu importe ce qu'elle pouvait bien insinuer, plus que jamais, je refusais de retourner là-bas. Mais le regard apeuré de Gabrielle m'a jeté par terre. Elle s'est mise à trembler.

Un autre son de cloche.

AIDE-MOI

Gabrielle a commencé à courir dans la direction opposée. J'ai sautillé sur place, incapable de décider si je devais la suivre ou continuer ma route.

— Merde ! ai-je lancé à voix basse avant de me mettre à courir à mon tour. Gab, attends !

Mais Gabrielle ne m'a pas attendu. Elle filait à toute allure devant moi, à moitié perdue dans le brouillard macabre. Plus elle s'éloignait, plus je me sentais mal, comme si j'étais sur le point d'étouffer. Je courais si vite que j'avais perdu le contrôle de mes jambes. Si j'avais tenté de stopper ma course, je serais probablement tombé face première sur l'asphalte humide. Chaque pas qui claquait sur le sol résonnait à l'intérieur de mon crâne. Je n'arrivais même pas à dire si je respirais ou non. Je ne faisais que foncer dans le brouillard épais sans plus penser à rien. Juste un grand vide et ce mauvais augure au creux de mon ventre. L'état d'urgence. La panique.

J'ai effectué un virage éclair sur la rue que nous venions à peine de quitter. L'air s'est éclairci et j'ai aperçu Gabrielle plus loin, qui était déjà presque rendue. J'ai redoublé d'efforts. Un dernier sprint et j'arrivais. Mes poumons me faisaient mal. On aurait dit que l'air froid me brûlait de l'intérieur. Du coin de l'œil, j'ai vu des lumières s'allumer dans les fenêtres des maisons voisines. Mais je gardais mes yeux rivés sur l'entrée de la maison à travers laquelle Gab venait de disparaître.

En voulant grimper les marches de béton deux par deux, j'ai trébuché et je suis tombé sur le balcon froid de la demeure, amortissant ma chute avec mes mains. J'ai laissé sortir un petit grognement en observant mes paumes ensanglantées. C'est à ce moment-là que la voisine de droite est sortie sur son balcon, ne portant qu'une petite robe de nuit. Elle a levé le poing dans ma direction en criant :

— Allez-vous arrêter de faire du bruit ?! Y a du monde qui essaie de dormir ! J'vais appeler la police !

J'ai foncé pour entrer dans la maison en laissant tomber mon sac près de la porte. À l'intérieur, on n'y voyait rien. Toutes les lumières étaient éteintes, les rideaux étaient tirés. Je me tenais debout dans l'entrée, face à l'escalier qui menait à l'étage, tentant d'entendre, au-delà de ma propre respiration haletante, un indice qui me dirait où se trouvaient Gabrielle et Sabrina.

— Gab ?

Un sanglot. J'ai cru entendre un sanglot à l'étage.

Je suis monté en me frayant un chemin à travers les cadres éparpillés dans l'escalier. Tous avaient quitté le mur et gisaient dans les marches.

Il faisait plus sombre en haut. Le long corridor n'était éclairé que par la lumière qui sortait de la salle de bain. Gabrielle se tenait dans l'embrasure, tremblante, une main sur la bouche. J'ai accouru pour la rejoindre, mais j'ai encore trébuché sur quelque chose et je me suis affalé sur le tapis aux pieds de Gab. C'est là que je l'ai vue…

Sabrina se tenait immobile devant le miroir de la salle de bain, un petit couteau de cuisine à la main. En regardant plus attentivement, j'ai vu du sang s'écouler de ses paumes. Sur le plancher, le jeu de **OUIJA** gisait à côté d'elle. Gabrielle a levé tranquillement ses mains devant elle pour essayer de calmer son amie.

— Sabrina? Qu'est-ce que tu fais? Pose le couteau, Sab, fais pas de conneries.

Lentement, Sabrina a tourné la tête en direction de Gabrielle. Elle avait les yeux rouges, comme si elle avait pleuré toutes les larmes de son corps, et le visage boursouflé. Le long de ses joues, son mascara avait coulé et lui donnait un air macabre. Elle nous a regardés, sans bouger. On aurait dit qu'elle venait de perdre quelque chose. Un regard rempli de tristesse et de panique.

Elle a pointé le miroir avec le couteau en murmurant :

— Vois-tu ça? Dis-moi que tu le vois, toi aussi.

Sabrina a été prise d'un spasme et, en regardant de nouveau son reflet dans la glace, elle s'est mise à hurler. Un long cri. Pire que tous ceux que j'avais pu entendre ce soir-là. Un hurlement morbide suivi du bruit du verre qui éclate en mille morceaux. Elle poignardait le miroir avec son couteau en continuant de crier de façon incontrôlable, ignorant les éclats de verre qui volaient dans tous les sens, tailladant sa peau. Gabrielle a fait un pas de reculons tandis que je tentais de me relever pour éviter les minuscules morceaux de miroir qui parvenaient jusqu'à moi.

J'ai à peine eu le temps de me redresser que Sabrina s'est écroulée, ses jambes se dérobant sous elle, comme une marionnette dont on aurait coupé les fils. Le son que son crâne a fait en percutant le bain a résonné dans la petite pièce pendant quelques secondes, le temps que Gabrielle se rue sur elle.

— Sab ! SAB !!! *Oh my God*, Sab !

Elle a attrapé une serviette qui était accrochée au mur et s'est mise à éponger le sang qui se répandait déjà à une vitesse folle sur la céramique. Moi, je restais là, figé sur place, trop sonné par ce que je venais de voir pour réagir.

— Will, appelle une ambulance, vite !

Mon téléphone… Mon téléphone était dans mon sac. J'ai dévalé l'escalier presque sans toucher aux marches. À quatre pattes dans l'entrée, j'ai fouillé dans mon sac nerveusement pour trouver mon appareil. J'entendais mon cœur battre dans mes oreilles, j'avais l'impression que mon crâne allait fendre en deux. Je me suis levé d'un bond et je me suis mis à composer, incapable de garder mon calme. Je me suis précipité vers la cuisine en attendant que mon cellulaire compose enfin le numéro. Ça sonnait quand j'ai actionné l'interrupteur, illuminant le lustre au-dessus de la grande table en bois et les luminaires au-dessus de l'îlot de la cuisine.

Je me suis arrêté sec.

En sourdine je pouvais entendre la voix d'une femme sortir de mon téléphone.

— Quelle est votre urgence ? Allo ? Allo ?

J'ai laissé tomber mon appareil sur le parquet. Je n'arrivais plus à bouger.

Toutes les armoires de la cuisine étaient grandes ouvertes et avaient été vidées de leur contenu. Idem pour les tiroirs. Sur l'îlot, au centre de la pièce, tous les morceaux de vaisselle tenaient en équilibre les uns sur les autres, formant de hautes tours difformes et chambranlantes. Une assiette sur une tasse, sur un bol, sur un verre, sur une petite assiette, sur un autre verre, sur un bol. Éparpillés partout sur le plancher, les couteaux, les cuillères et les fourchettes étaient espacés avec précision et formaient une spirale infernale autour de l'îlot. Les chaises en bois avaient été renversées. L'une d'elles gisait en morceaux, un peu plus loin, comme si on l'avait fracassée sur le frigo.

— Allo ? Quelle est votre urgence ? Je ne vous entends pas !

Sur le mur, juste derrière la table, des entailles formaient une étoile allongée, gravée grossièrement à même le plâtre. Au centre, parmi des traces de sang brunâtres, le portrait des Viau que j'avais eu entre les mains plus tôt tenait à l'aide d'un énorme couteau de cuisine. La pointe s'enfonçait profondément dans le mur à l'endroit exact où se trouvait le visage de Sabrina.

J'ai entendu des pas. C'était Gabrielle qui venait me rejoindre, prise de panique, les joues inondées de larmes. Ses vêtements étaient tachés de sang. Il y en avait beaucoup.

Elle s'est agrippée à moi, mais je me suis senti défaillir. J'ai été pris de nausée, de sueurs froides. J'ai eu l'impression que mon intérieur se tordait. Ma vue s'est brouillée et j'ai commencé à voir des points noirs devant moi. Plus rien n'avait de sens. J'ai essayé de me stabiliser en m'agrippant au mur, mais mon bras était trop lourd. Ma tête était trop lourde.

La dernière chose dont je me souviens, c'est le son du cri que Gabrielle a poussé avant que je m'effondre.

II

AUXILIUM

CINQ

Lorsque ma mère m'a réveillé, l'après-midi tirait à sa fin. J'étais un peu perdu, un peu confus. Ça m'a pris un moment avant de me souvenir de la veille. De ce qui s'était passé. De l'horreur.

Maman s'est assise sur mon lit avec un air triste. Elle m'a secoué légèrement pour me dire avec sa voix douce qu'il était déjà tard, qu'elle allait commencer à faire le souper. Je n'ai pas été capable de lui répondre. Je me suis contenté de gémir, encore hanté par les images de ma nuit chez Sabrina. Après quelques secondes, j'ai ouvert les yeux pour constater l'air grave sur son visage.

— Ton amie Laurie a pas survécu à ses blessures. La mère de Gabrielle vient de m'appeler pour me le dire…

— OK, ai-je réussi à murmurer.

Elle est restée là un instant, avant de sortir de la pièce. Par la fenêtre ouverte, le vent froid faisait voler mes rideaux dans tous les sens et venait tourbillonner dans ma chambre. Je pouvais entendre la pluie marteler la vitre par intermittence. Le genre de journée où on ne devrait jamais avoir à sortir de sous les couvertures.

Je ne savais pas quoi penser ni comment réagir. Laurie était morte… morte. C'était pire que tout ce que j'avais pu appréhender. Sarah devait être démolie. Tout le monde devait l'être. Pourtant, je n'arrivais pas à me sentir triste. Tout ce qui me venait en tête, c'était l'image de Sabrina en train de pulvériser le miroir de sa salle de bain. Du sang, partout. Des cris. Des cris inhumains, emplis de panique et de terreur. Un truc de fou, tout droit sorti des pires cauchemars. Qu'avait-il bien pu se passer dans les quelques minutes qui avaient séparé notre départ et notre retour ?

Je me suis levé péniblement. Tous mes muscles étaient endoloris. J'avais l'impression d'être passé sous un rouleau compresseur. J'ai enfilé mon survêtement de sport et une camisole noire. En attrapant ma veste de coton, j'ai sursauté en voyant mon reflet dans le miroir. Pendant une fraction de seconde, j'ai cru apercevoir mon père. Même si je ne l'avais pas revu depuis plus de sept ans, je gardais toujours une photo de lui dans mon carnet à dessin. Un vieux portrait de famille datant de l'époque où Odile et Lily-Anne, mes petites sœurs, étaient encore des bébés. Le cliché a été pris lors d'un pique-nique familial donné à l'occasion du solstice d'été : Stephan Walker dans toute sa splendeur, ses cheveux blonds lui tombant devant les yeux, une cigarette au bec, une bière dans une main, l'autre tenant fermement la taille de ma mère.

J'avais les mêmes cernes creux sous les yeux. Le même teint pâle. Les mêmes cheveux cendrés, ébouriffés, qui assombrissaient mon regard. La même dégaine... Je préférerais ressembler à ma mère. Mon père nous a abandonnés quand j'étais en deuxième année. Il est parti sans jamais donner de nouvelles, laissant ma mère aux prises avec trois gamins et un salaire de crève-faim. Si elle dirige aujourd'hui l'entreprise, ça s'est fait au détriment de notre vie familiale. J'ai vite appris à m'occuper de moi-même et à prendre soin d'Odile et Lily-Anne. Ça renforcit, l'absence d'une mère...

J'ai enfilé ma veste et j'ai remonté le capuchon sur ma tête en frissonnant. J'ai quitté ma chambre au grenier pour descendre deux étages plus bas. Ma mère m'attendait dans la cuisine, l'air contrarié.

— Assieds-toi, qu'elle m'a dit à voix basse.

Elle a versé une tonne de sucre dans une tasse avant d'y ajouter le café fumant qu'elle venait de faire sur le poêle. Avec une cuillère, elle y a déposé une montagne de mousse de lait chaud, l'a saupoudré de cacao, puis l'a déposé devant moi en me souriant à demi. Elle s'en est servi un noir, et elle est venue s'installer en face de moi, de l'autre côté de la petite table en bois. Nous n'utilisions jamais la salle à manger, sauf quand ma tante ou ma grand-mère venaient nous rendre visite, ce qui arrivait de plus en plus rarement.

Le liquide chaud m'a tout de suite fait du bien. Ma mère ne me laisse pas boire du café souvent. Elle insiste toujours pour dire que c'est une drogue pour adultes et que j'aurai amplement le temps de l'expérimenter à ma guise lorsque je serai plus grand. Mais j'aime ses lattés ultra sucrés. Elle le sait. Elle m'en offre parfois, la plupart du temps lorsqu'elle a une faveur à me demander.

— Odile et Lily sont pas là ?

— Non, m'a répondu ma mère. Elles passent la soirée chez Rita. Je lui ai demandé de les garder.

Rita, la meilleure amie de ma mère, habite à quinze minutes de Saint-Hector, dans un petit village nommé Notre-Dame-du-Chêne. Mes sœurs détestent aller là-bas. Non seulement il n'y a rien à faire, mais le fils de Rita est un petit monstre qui s'amuse plus à les martyriser qu'à les divertir.

— Elles devaient pas être contentes.

— William…

Elle a dit ça sur un ton que je connais trop bien. C'est le même qu'elle a utilisé, il y a des années, pour m'annoncer que papa n'était pas « vraiment » en voyage d'affaires et qu'il ne reviendrait sans doute jamais à la maison. Je me doutais bien de ce que ce ton signifiait et du genre de conversation que je m'apprêtais à avoir avec elle. J'ai senti mes entrailles se contracter.

— Maman, j'ai pas le goût d'en parler.

— Tu me dois des explications, jeune homme. Premièrement, tu m'as menti. Ça te ressemble pas de me raconter des histoires ! Deuxièmement, je veux essayer de comprendre ce que vous avez ben pu faire hier soir. Tout à l'heure, j'ai passé une bonne demi-heure au téléphone avec madame Viau, pis laisse-moi te dire qu'elle était pas de bonne humeur ! Veux-tu ben m'dire ce qui vous a pris ?

En flash, j'ai revu la cuisine sens dessus dessous. Le symbole gravé à même le mur. Le couteau planté en plein cœur du portrait familial des Viau. Gabrielle ensanglantée. Comment expliquer tout ça ? Comment faire comprendre à ma mère que je n'avais aucune idée de ce qui avait pu se passer ? Lorsque Gab et moi avions quitté la maison de Sabrina, elle était relativement propre et rangée, comme si nous n'y avions jamais mis les pieds… à part peut-être le téléviseur et les objets fracassés. À peine dix minutes plus tard, nous l'avions retrouvée… transformée.

Il fallait que je parle à Gabrielle. Que j'essaie de comprendre. Je devais absolument envoyer un message à Anthony. Était-il seulement au courant de ce qui était arrivé après son départ ? En savait-il plus que moi ?

— On a rien fait, m'man, j'te jure.

— Me prends-tu pour une tarte ? J'ai déjà été jeune, moi aussi. J'en ai fait, des conneries ! Mais j'ai jamais envoyé trois de mes amies à l'hôpital !

Sabrina aussi était à l'hôpital. J'avais le souvenir confus d'avoir repris conscience, d'ambulanciers qui descendaient Sab sur une civière juste avant que ma mère débarque en panique chez les Viau. J'avais aussi l'étrange impression d'avoir entendu ma mère et le père de Gabrielle discuter à voix basse. Tout était flou. C'était comme si j'avais rêvé tout ça et que plus je m'éloignais du sommeil, plus mon rêve se dissipait. J'essayais d'attraper les images, mais je ne restais qu'avec de vagues impressions.

— Est-ce que tu consommes de la drogue, William ?

C'était plus fort que moi, je me suis mis à rire. Elle n'a pas apprécié.

— J'te parle sérieusement ! s'est-elle écriée en frappant sur la table.

Si seulement ça avait été aussi simple. Je ne pouvais rien lui dire qui l'aurait soulagée de toute façon. Je n'arrivais pas moi-même à m'expliquer le fil des événements de la soirée. Si je lui avais confié quoi que ce soit, elle m'aurait pris pour un fou. Après tout, j'étais le premier à presque douter de ma raison.

— Maman. Après l'accident, Gab et moi, on a aidé Sabrina à ranger la maison et on est partis. On a rien fait d'autre. Pis c'est là que Sab a texté Gabrielle et qu'on est retournés là-bas. Le mal était déjà fait. C'est pas moi qui peux te répondre, c'est Sabrina !

Ce n'était pas tout à fait faux. Il fallait que je la convainque que j'étais innocent sans lui dévoiler le fond de ma pensée. Elle ne m'aurait pas pris au sérieux. Au fond de moi, je gardais en tête le message étrange que Sabrina avait envoyé à Gabrielle. C ENCORE DANS MAISON, avait-elle écrit. Je ne savais pas ce qu'elle avait pu voir dans sa maison pour écrire cela, mais si j'avais bel et bien vu des objets flotter en apesanteur, je ne pouvais qu'imaginer le pire.

— J'pense que... J'pense que Sab s'en est voulu de ce qui est arrivé à Laurie... pis qu'elle a sauté une coche. Si tu l'avais vue, m'man... c'était... je...

Mes yeux se sont embrouillés. J'ai eu beau combattre mes larmes, l'immense boule qui venait d'apparaître dans ma gorge refusait de me laisser ravaler ma peine.

Laurie est morte.

C'est tout ce que j'arrivais à penser. Ça venait de me frapper de plein fouet. Ça, c'était la réalité, et c'était encore plus inconcevable que tout le reste.

Ma mère a tendu le bras pour poser sa main sur la mienne.

— C'est correct, William. C'est correct, je te crois. Ça doit être horrible pour toi.

Horrible. C'était le bon mot.

J'ai calé ce qui restait de mon café pour tenter de chasser mon envie de me mettre à pleurer comme un petit garçon. Je n'avais pas envie que ma mère me voie comme ça. Pas envie de me laisser ébranler par des histoires impossibles. Il fallait qu'il y ait une explication rationnelle. Il le fallait.

J'ai proposé à ma mère de l'aider à faire le repas. Elle a simplement secoué la tête en me montrant la brochure de la pizzéria. Pas de brocoli ou de choux de Bruxelles au menu. Juste de la bouffe réconfortante et mauvaise pour la santé. Je lui ai fait un petit sourire pour la remercier et la rassurer, avant d'aller m'enfermer dans la salle d'eau du rez-de-chaussée.

Assis sur le bord de la baignoire, j'ai sorti mon téléphone pour envoyer un texto à Anthony.

YO. ÇA VA ? ES-TU AU COURANT ?

J'ai observé l'écran, espérant une réponse rapide. Mais au bout de quelques minutes, elle n'était toujours pas venue. Je me suis résigné et j'ai tenté de l'appeler, pour tomber directement sur sa boîte vocale.

Je me suis envoyé un peu d'eau froide dans le visage. J'ai réalisé que je tremblais. J'ai essayé de calmer mes tremblements en m'appuyant sur le petit lavabo. Je me suis fixé dans la glace en me répétant à voix basse de relaxer. À part le café, je n'avais rien avalé depuis les shooters de la veille. Ce devait être ça.

La mélodie de la sonnette a résonné dans la maison. J'ai entendu ma mère me crier d'aller répondre, que l'argent se trouvait sur le bahut de l'entrée. Je me suis secoué et je suis sorti de la salle d'eau pour me précipiter vers la porte. Ce n'était pas le livreur.

Gabrielle me regardait à travers les carreaux. Elle était dans un état lamentable, elle aussi. Je lui ai fait un sourire rassurant en prenant une grande respiration. J'avais à peine entrouvert la porte qu'elle est jetée dans mes bras en pleurant. Je l'ai serrée de toutes mes forces. Plus elle s'agrippait à moi et plus je lui retournais son étreinte. Ça m'a fait du bien de sentir qu'elle ressentait la même terreur que moi et que j'avais une amie dans cette ville qui pouvait me comprendre. J'étais complètement bouleversé. Elle a fini par reculer en s'essuyant les yeux. Je l'ai entraînée sur le perron et j'ai fermé la porte derrière moi.

Nous avons pris place sur la première marche de l'escalier de bois qui donnait sur l'Avenue. La pluie avait cessé, mais le ciel était toujours sombre et le vent aussi violent. J'aurais voulu qu'un orage éclate, que la foudre s'abatte sur Saint-Hector pour refléter ce que je ressentais.

Gabrielle a reniflé en essuyant à nouveau ses yeux avec le bout de sa manche. Elle a replié ses jambes contre sa poitrine en les entourant de ses bras, comme une enfant l'aurait fait. Ses cheveux bruns semblaient plus frisés que d'habitude.

— Je m'excuse… fallait que ça sorte.

— C'est correct, Gab.

— Non. C'est pas correct. Y a rien qui est correct. J'ai presque pas dormi depuis hier. Chaque fois que je ferme les yeux…

Sa voix s'est brisée. Instinctivement, je lui ai frotté le dos. Ma mère faisait toujours ça pour me consoler quand j'étais petit.

— Je comprends, ai-je dit, simplement.

— Ils ont rentré Sab en psychiatrie, t'sais.

— Mais est-ce qu'elle va bien ?

— Comment ça peut aller bien quand tout le monde pense que t'es folle ?! De toute façon, je sais rien. Ses parents sont vraiment fâchés pis y ont pas voulu me donner de détails. Y sont persuadés que tout ça, c'est de notre faute.

— Ouais, je sais… Sa mère a appelé la mienne pour lui donner un char de marde. Elle a pas téléphoné chez vous ?

— Tu connais ma mère ! Elle lui a quasiment raccroché la ligne au nez.

Jeanne, la mère de Gabrielle n'a jamais été reconnue pour ses bonnes relations avec les autres parents de Saint-Hector. C'est le genre de femme qui ne se mêle pas aux autres, ce qui est plutôt rare dans notre ville. Mais Jeanne Vanier n'en a rien à cirer des Hectoriens. Elle est native du coin et a grandi dans la maison où elle vit toujours. Du plus loin que je me souvienne, elle n'a jamais gardé un emploi plus qu'une semaine. On ne peut pas affirmer qu'elle a un problème d'alcool, parce qu'elle a rarement les moyens de s'en payer, mais disons simplement que Jeanne n'a pas une très bonne réputation. Le père de Gabrielle n'a jamais été dans le décor. Elle le voit un ou deux week-ends par mois, quand il daigne venir la chercher. Elle passe toujours quelques jours chez lui durant les vacances, mais le reste du temps, elle demeure avec sa mère, à quelques coins de rue de chez moi.

— As-tu des nouvelles de Sarah ? ai-je demandé.

— Elle m'a texté tantôt. Elle est retournée chez elle, mais je sais même pas si elle est au courant pour Laurie… J'ai pas osé lui demander.

— J'ai essayé d'appeler Anthony tantôt. Il m'a jamais répondu.

— Ses parents lui ont confisqué son téléphone. Il est privé de sortie jusqu'à nouvel ordre.

— Ben voyons donc !

— Il leur avait dit qu'il passait la nuit chez vous. Mettons qu'ils l'ont pas bien pris quand la police les a appelés de chez Sab…

Nous sommes restés assis là un moment, perdus dans nos pensées. J'imaginais Anthony, prisonnier de sa chambre, furieux d'être incapable de communiquer avec moi. Ses parents ont toujours été sévères et contrôlants, rien de nouveau sous le soleil. Son père, surtout, ne tolère pas le moindre écart de conduite. Le problème, c'est qu'Anthony a le don de se retrouver dans les pires situations possible, avec mon aide, évidemment. Seulement, moi, j'ai la chance d'avoir une mère assez relax quand vient le temps de me réprimander. Elle s'en fait pour moi, assurément, mais Odile et Lily-Anne lui donnent assez de fil à retordre pour qu'elle me laisse un peu de latitude.

Gabrielle a glissé son bras autour du mien avant de déposer sa tête sur mon épaule en soupirant.

— J'arrête pas de repenser à hier.

— Penses-tu qu'elle va être correcte ?

— Je sais pas quoi penser, Will. Mais ça fait deux ans que je connais Sab et je l'avais jamais vue comme ça. Je comprends juste pas comment… pourquoi elle… Ça fait pas de sens !

J'étais sur le point de lui répondre quand une grosse voiture brune s'est garée en face de la maison. Mon cœur a arrêté de battre. Gabrielle m'a lancé un coup d'œil curieux, ne comprenant pas plus que moi pourquoi la voiture de Marianne Roberts s'arrêtait devant chez moi. Nous avons fixé le vieux bolide, incrédules. Au bout d'un moment, Marianne en est sortie. Ses cheveux noirs étaient remontés en toque sur sa tête et ses yeux étaient couverts par les immenses lunettes fumées qu'elle portait toujours à l'école. Elle a jeté un regard dans notre direction, un sourire en coin.

Puis, elle a ouvert la portière arrière de sa voiture et s'est avancée vers nous d'un pas décidé, une boîte de pizza dans les mains. C'était étrange de la voir là, habillée d'un simple jeans et d'une camisole noire. Elle avait attaché la chemise rouge de la pizzéria autour de sa taille. Elle s'est immobilisée devant moi, ignorant totalement Gabrielle. Je suis resté là sans rien dire, à la dévisager.

— Salut. T'as commandé une pizza ?

J'ai bafouillé quelque chose d'incompréhensible avant de courir à l'intérieur pour saisir les billets que ma mère avait laissés sur le bahut de l'entrée. Je les ai tendus maladroitement à Marianne, qui m'a remis la boîte. Elle s'est mise à fouiller dans ses poches pour en ressortir une poignée de monnaie.

J'étais tétanisé. Incapable de bouger. Je restais là à la regarder avec l'impression étrange qu'elle était irréelle. C'est là que j'ai vu le pendentif qu'elle portait autour du cou, accroché à une ficelle noire. Il avait dû s'échapper de sa camisole lorsqu'elle s'était penchée pour attraper la pizza dans la voiture. En s'apercevant que je fixais son médaillon, elle l'a tout de suite dissimulé sous sa camisole.

Gabrielle, constatant que je ne réagissais pas, m'a donné une claque sur la jambe du revers de la main.

— C'est beau, tu peux garder le change, ai-je réussi à marmonner.

Marianne a refermé sa main sur la poignée de monnaie qu'elle me tendait et a levé la tête dans ma direction. Elle a rangé les pièces dans ses poches en levant ses lunettes sur sa tête, puis elle m'a regardé droit dans les yeux en me souriant. Pendant une seconde, j'ai eu la sensation que le vert de ses iris me transperçait et qu'elle parvenait à lire mes pensées. Son regard… j'avais oublié à quel point il pouvait être déstabilisant.

— Merci, a-t-elle murmuré. Bon appétit !

Elle a tourné les talons en direction de sa voiture. Le moteur a démarré et, pendant que l'auto effectuait un demi-tour sur l'Avenue, nous avons pu entendre sa musique rock se répercuter à plein volume sur les maisons autour.

— Est-ce que t'as vu? que j'ai demandé à Gabrielle en observant la voiture qui s'éloignait.

— Vu quoi?

— Ce qu'elle portait autour du cou?

— Non, pourquoi?

Il s'agissait d'un petit pendentif à peine plus grand qu'une pièce de un dollar. En temps normal, je ne l'aurais même pas remarqué. Ce n'était pas le genre de choses auxquelles je portais attention. Or, cette journée-là, ça m'avait sauté au visage.

— Y avait un symbole sur son médaillon... et à moins que je me trompe, c'est exactement la même chose que Sab a gravée sur son mur hier.

SIX

Comme pour n'importe quel événement à Saint-Hector, les rumeurs concernant ce qui s'était passé chez les Viau ont rapidement fait le tour de la ville et se sont répandues à une vitesse extraordinaire. De la même façon qu'avec le téléphone arabe, ce qui aurait dû n'être qu'un fait divers s'est transformé en histoire sordide. Si la moitié de l'école croyait désormais que Sabrina avait poussé Laurie devant une voiture, l'autre moitié était persuadée que nous avions consommé des drogues dures et que ça avait rendu Sabrina complètement folle. Nous aurions eu beau dire n'importe quoi, la machine à potins faisait ses ravages et nous étions condamnés à en être les victimes.

Dès le lundi suivant, aussitôt que nous passions quelque part, je pouvais entendre les autres chuchoter, les voir nous pointer du doigt. Tout le monde savait que nous étions présents le soir des événements, ce n'était un secret pour personne. Mais nul ne savait réellement ce qui s'était déroulé dans la maison de Sabrina. Nul n'aurait pu l'imaginer. Même nous, qui avions été sur les lieux, nous avions de la difficulté à comprendre exactement comment tout cela avait été enclenché.

Anthony était en punition et devait rentrer immédiatement chez lui après l'école. Pas question d'errer dans les

corridors d'Anna Caritas ni de faire quelque détour à travers la ville. S'il n'était pas chez lui lorsque ses parents appelaient sur la ligne fixe, il était mûr pour une extension de sa sentence. Pas de cellulaire, ni de télé, ni d'Internet… Il avait eu l'air misérable lorsqu'il était arrivé devant chez moi, ce matin-là, pour qu'on marche ensemble vers l'école.

— T'avais raison, *man* ! On n'aurait jamais dû y aller.

Je n'ai pas osé revenir sur la soirée. J'en mourais d'envie, évidemment, mais quelque chose m'en empêchait. Tant que je n'en parlais pas, je me permettais de me raconter que j'avais imaginé tout cela. Il y avait la fatigue aussi. J'étais épuisé. J'avais passé une bonne partie de la nuit précédente à fixer mon plafond, à sursauter au moindre craquement dans la maison endormie. Chaque fois que je tentais d'éteindre ma lampe de chevet, j'étais pris d'un sentiment étrange, comme si quelqu'un me regardait dans le noir. J'avais fini par la laisser allumée, au risque de ne jamais m'endormir. Au moins, je pouvais voir clairement dans ma chambre.

J'étais aussi obsédé par le médaillon de Marianne. Je ne savais pas encore ce que ça signifiait, mais je ne pouvais m'empêcher de faire le lien entre celui-ci et ce que Sabrina avait gravé sur le mur de sa cuisine. Marianne Roberts avait, après tout, la réputation d'être une sorcière. Était-il possible que tout ça, ce soit à cause de son retour à Saint-Hector ?

Gabrielle avait plus ou moins la même mine que moi. Elle m'a avoué ne pas avoir dormi de la nuit elle non plus, incapable de penser à autre chose qu'à l'image de sa meilleure amie ensanglantée. Chaque fois qu'elle réussissait à fermer l'œil, elle était hantée par des visions de ce que nous avions vu et vécu cette nuit-là. Elle portait désormais deux cernes violacés sous les yeux et n'arrivait à sourire que tristement. Elle s'en faisait aussi pour sa meilleure amie. Elle n'avait toujours aucune nouvelle. Ses textos étaient demeurés sans réponse, mais elle continuait de lui en envoyer, ne serait-ce que pour repousser le plus loin possible ces deux messages effroyables qu'elle avait reçus, quelque part dans le brouillard. Les seuls échos que nous avions de Sabrina nous venaient des ragots que les Hectoriens rapportaient à qui voulait bien les entendre.

Ensemble, nous avions l'air de trois zombies.

À l'école, la tension était palpable. Non seulement on nous regardait de travers, mais nous pouvions sentir clairement les regards sur nous et entendre les murmures à notre sujet. Le décès de Laurie avait créé une onde de choc, et on nous jugeait responsables. D'autant plus que Sarah n'était nulle part en vue, et que Sabrina brillait par son absence.

Ce lundi a sans doute été le pire que j'ai passé à Anna Caritas. J'avais l'impression d'être pris au milieu d'une tornade sans être capable de m'agripper à quoi que ce soit de solide. J'étais emporté par la tempête. C'était atroce.

Toute la semaine, nous avons passé nos journées dans un silence quasi total, ne grommelant que des demi-mots. Malgré le beau temps qui semblait vouloir envahir la ville, nous étions maussades. Le midi, nous nous rendions à notre endroit préféré sur tout le campus : notre arbre. Un immense chêne qui avait fort probablement vu naître Saint-Hector.

Nous avions d'emblée pris possession de l'endroit en début d'année scolaire, dès la première journée. Il avait autrefois appartenu à une bande de pensionnaires, mais ceux-ci avaient tous gradué l'année d'avant. Il y avait bien eu un groupe de secondaire IV qui avait tenté de nous faire fuir pour se l'approprier, mais Anthony ne les avait pas laissés faire. C'était notre refuge pendant la mince heure et quart de pause qu'on nous accordait chaque jour. Si quelqu'un cherchait l'un d'entre nous, il savait où le trouver. Au début, avant que l'hiver s'installe sur Anna Caritas, certains élèves venaient occasionnellement nous tenir compagnie. Laurie et Sarah, entre autres. Des copines du primaire de Gabrielle. Les gars de l'équipe de volley-ball dont Anthony faisait partie. Personne n'y venait pour moi. À part Anthony, je ne côtoyais que peu de gens à l'école. Je n'en avais jamais ressenti le besoin. J'aimais la dynamique de notre petit groupe. Il y avait eu Jennifer, une fois, celle-là même avec qui j'avais connu mon premier vrai baiser en secondaire I, mais elle n'était jamais revenue manger avec nous par la suite, sans doute parce que Sabrina avait passé l'heure au complet à ridiculiser chaque phrase qu'elle prononçait. Elle me saluait encore lorsqu'on se croisait dans les corridors… au moins !

Mais personne n'est venu cette semaine-là. Personne ne viendrait plus.

Il a fallu attendre au mercredi pour que Maddox Gauvin daigne nous approcher.

Assis sur son manteau, Anthony somnolait, confortablement adossé au tronc de l'arbre majestueux. Gabrielle s'était glissée contre lui et avait le nez plongé dans le bouquin que nous devions lire pour le cours de français. Moi, je n'avais pas le cœur à lire. J'avais encore le temps de m'y mettre avant l'examen, dans deux semaines. Assis à l'indienne aux côtés d'Anthony et Gab, j'étais perdu dans mes pensées. La semaine était atypique, et je n'arrivais pas à chasser l'état d'esprit singulier qui me suivait depuis notre retour à l'école. Un mélange de déprime et de fébrilité. La tête ailleurs, j'occupais mes mains en arrachant des brins de gazon que je m'appliquais à mettre minutieusement en tas en face de moi. Gabrielle gribouillait frénétiquement des notes dans un cahier posé sur ses genoux. De temps à autre, elle marmonnait quelque chose d'incompréhensible en tournant une page.

— Salut…, a dit Maddox.

Il se tenait devant nous, les mains plongées dans les poches de sa veste aux couleurs des Malabars d'Anna Caritas. Si, en temps normal, il se promenait sur le terrain de l'école avec une démarche de vainqueur, le Maddox qui venait de s'approcher de nous n'avait rien à voir avec le champion sportif que nous connaissions. Ses cheveux, qu'il peignait habituellement avec soin, volaient dans tous les sens, comme s'il avait reçu une décharge électrique. Il avait le teint pâle, les joues creuses. Un bout de chemise fripé dépassait de son cardigan. Si Anthony, Gabrielle et moi avions une sale gueule, ce n'était rien comparé à Maddox.

Anthony a sursauté. Nous nous sommes tous les trois levés d'instinct, tels des soldats devant leur général. Aucun de nous n'avait eu de contact avec Maddox après que ses parents étaient venus le chercher chez Sabrina. Anthony n'avait pas pu aller à sa pratique de volley la veille, et Maddox n'était pas dans la même année que nous.

— Est-ce que je peux vous parler ?

Sa voix était faible et chevrotante.

— Est-ce que ça va, *dude* ? lui a demandé Anthony, l'air inquiet.

— Je commence à capoter un peu, là. Je dors pus.

J'ai échangé un regard avec Gabrielle. Si quelqu'un pouvait le comprendre, c'était bien nous. Maddox était probablement celui qui avait eu le plus peur en jouant au **OUIJA.** Si je m'expliquais mal le phénomène dont nous avions été témoins, lui, il y croyait dur comme fer. Gabrielle a essayé de le raisonner.

— C'était un accident, Mad… Y a rien qu'on aurait pu faire.

— Non. C'était plus que ça… pis j'pense que ça m'a suivi jusque chez nous. La nuit, je… je… y a comme… Je sais pas comment l'expliquer.

Il tremblait de tout son corps et n'arrêtait pas de se passer la main dans les cheveux nerveusement. On aurait dit un gamin qui sait qu'il vient de faire une gaffe. Si Gabrielle a semblé garder son calme, Anthony a eu l'air plutôt ébranlé par l'attitude de son coéquipier. Mon meilleur ami n'a jamais eu le tour pour faire face aux problèmes. Il préfère faire semblant que ça n'existe pas en faisant des blagues idiotes. Quand je suis de mauvaise humeur, je l'évite souvent. Il a la fâcheuse habitude de tourner mes coups de cafard en dérision et de s'emporter lorsque j'insiste pour aller mal. Il ne supporte pas les démonstrations trop intenses d'émotion. Pour son grand malheur, cette semaine-là le confrontait à tout ce qu'il détestait.

Gabrielle a poursuivi :

— Mad, on était tous là. C'est normal de te sentir comme ça, on l'aimait tous, Laurie…

— Je parle pas de ça !

Il était subitement hors de lui. Il nous observait, les yeux exorbités, comme si nous étions des extra-terrestres. Il avait l'air furieux, mais en fait, il était plutôt terrifié.

— Je parle de ce qu'on a réveillé là-bas. De l'esprit ! Y vous est rien arrivé, vous autres ?

— C'était juste un jeu, *man* ! Vire pas fou avec ça, a lancé Anthony, presque insulté.

Gabrielle lui a donné une claque sur le bras du revers de la main en le fusillant du regard. Maddox s'est soudainement refermé sur lui-même, réalisant que ce qu'il essayait de nous dire n'avait aucun sens pour nous. Il a regardé par terre. On aurait dit qu'il allait se mettre à pleurnicher comme un petit garçon.

— Qu'est-ce qui est arrivé ? que je lui ai demandé.

— Laissez faire, nous a-t-il craché au visage avant de repartir en direction de l'école.

Nous sommes restés là un moment, sans rien dire, jusqu'à ce que Maddox disparaisse à l'intérieur de l'établissement. Une partie de moi a eu envie de le suivre, d'aller le rejoindre pour en savoir plus. J'ai préféré imiter mes deux amis et j'ai laissé tomber. Je ne voulais qu'une seule chose : oublier cette soirée.

Le jeudi, la direction d'Anna Caritas a suspendu les cours pour l'après-midi afin de permettre à ceux qui le désiraient de se rendre à l'église de Saint-Hector pour les funérailles de Laurie. À 14 heures, sous un soleil de plomb, une centaine d'élèves se sont amassés sur le terrain de l'école, face à une armée de professeurs et de religieuses en habit bleu.

Même si la majorité d'entre elles n'enseignent plus, Anna Caritas a été fondée par les sœurs, et certaines occupent toujours des postes clés dans l'établissement. Sœur Denise est responsable de la vie étudiante. Seuls les cas à problèmes se méritent une visite dans le bureau de sœur Denise. J'en avais moi-même fait l'expérience à la suite de notre «restructuration» de la crèche de l'église. Il y a aussi sœur Catherine, la responsable de la bibliothèque, et sœur Éloïse, la plus jeune d'entre elles, qui est en charge des pensionnaires. Elles vivent toutes dans une maison à l'arrière du collège et nous les voyons souvent se déplacer d'un endroit à un autre. Mais il est rare que nous les apercevions ainsi rassemblées, comme ce jour-là.

L'église s'élève juste en face de l'école, de l'autre côté de la route, à l'embranchement de la rue Principale. Anthony étant obligé de s'y rendre accompagné de ses parents, Gabrielle et moi avons suivi le groupe, la tête basse.

Nous avons discrètement pris place dans l'église bondée. J'étais venu souvent ici, plus petit, et jamais je n'avais vu autant de monde s'y entasser. Tout Saint-Hector ou presque devait y être. Le silence était lourd et intense. Devant l'autel, l'énorme cercueil demeurait clos, enseveli par des tonnes de fleurs. À côté de la photo de Laurie posée sur un chevalet, son père tentait de soutenir sa mère éplorée. L'image était saisissante. Tout était trop réel.

J'ai ausculté la foule réunie dans la nef pour trouver Anthony. Il devait être quelque part, caché par une des colonnes de pierre. Gabrielle semblait le chercher, elle aussi. Il aurait dû être avec nous. Je maudissais ses parents de le lui avoir interdit.

Dans la deuxième rangée, assise entre ses parents, Sarah pleurait. Elle n'était toujours pas revenue à l'école. Si nous étions tous marqués par l'accident, ce devait sans doute être pire pour elle. Sa mère s'est retournée vers nous et m'a fusillé du regard. J'ai détourné les yeux pour jeter mon dévolu sur l'immense Christ en croix qui trônait au-dessus du chœur.

Gabrielle m'a donné un coup de coude. J'ai suivi son regard insistant vers le portail de l'église, derrière nous.

Sabrina.

J'ai eu l'impulsion de me lever pour aller à sa rencontre, mais Gabrielle m'a retenu par la manche.

— C'est pas une bonne idée, m'a-t-elle murmuré.

Je n'avais vu les parents de Sabrina qu'en photo. S'ils m'avaient d'abord paru sympathiques, j'ai vite changé d'avis en les voyant entrer dans l'église. Tous deux arboraient un air sévère et froid. Sa mère portait une longue robe noire, ajustée à la taille, qui remontait le long de son cou et lui donnait l'apparence d'une marâtre de conte de fées. Elle avait remonté ses cheveux blonds, presque blancs, en une toque serrée, et sa peau avait un teint verdâtre, accentuant les cernes qui venaient creuser son visage. Rien à voir avec la maman souriante et attendrissante des portraits qui ornaient sa maison. Son père, grand et costaud, était aussi vêtu sombrement et semblait tenir Sabrina fermement par le cou.

Tous les regards se sont posés sur eux, augmentant la lourdeur de l'atmosphère qui régnait déjà. Les murmures ont aussitôt envahi l'église. Tout le monde semblait horrifié par la présence de Sabrina. J'étais le premier surpris de la voir là.

Elle était méconnaissable. Par-dessus sa robe bourgogne, elle avait enfilé une veste en laine noire. On pouvait clairement discerner les bandages qu'elle avait autour des mains et qui semblaient lui recouvrir les bras sous ses manches. Même si elle gardait la tête baissée, les marques rouges sur son visage étaient visibles derrière sa frange blonde en bataille. Ses épaules se soulevaient à chacun de ses sanglots. Elle n'avait clairement aucune envie d'être là.

Ils se sont installés dans la dernière rangée. Ses parents gardaient la tête haute, mais leur expression laissait entrevoir le désarroi qu'ils ressentaient face à la commotion que leur présence venait de causer.

Les parents de Laurie ont finalement pris place dans la première rangée, et le curé Turcotte s'est avancé d'un pas lourd dans l'allée pour commencer la cérémonie. Ici et là, des reniflements et des sanglots se faisaient entendre. J'ai essayé d'écouter ce que le prêtre disait, mais j'étais incapable de me concentrer. Je ne faisais que me rappeler la dernière fois que j'avais vu Laurie vivante. *Mange d'la marde, Sabrina Viau!* Telles avaient été ses dernières paroles. Je m'en voulais de les avoir laissées partir dans un pareil état. Je m'en voulais d'avoir accepté de jouer à ce jeu ridicule.

À mes côtés, Gabrielle avait les yeux fixés devant elle. Elle avait le visage inondé de larmes, mais ne paraissait pas s'en soucier. Au bout d'un moment, une cousine de Laurie est montée près de l'orgue pour entonner une chanson triste, l'une des favorites de Laurie, apparemment. J'aurais voulu pleurer moi aussi. Je n'y arrivais pas.

Je me sentais observé.

J'ai scruté la foule autour de moi, mais personne ne semblait me regarder. Pourtant, la sensation persistait. Mon cœur s'est mis à battre plus rapidement, la sueur a commencé à perler sur mon front. C'était pareil à l'impression étrange qui m'assaillait en me couchant le soir dans ma chambre, mais en pire. On aurait dit que l'église se refermait sur moi, que je manquais d'air.

C'est là que je l'ai vue. À ma droite, debout, adossée au mur de pierre du bas-côté de l'église, Marianne Robert regardait droit vers moi. Elle avait remonté ses lunettes de soleil sur le dessus de sa tête pour dévoiler ses yeux perçants maquillés de noir. Je me suis forcé à fixer l'autel en avant, mais je pouvais toujours sentir son regard posé sur moi.

J'avais maintenant la certitude qu'elle m'avait reconnu, l'autre soir... Que faisait-elle à l'église ? Impossible qu'elle ait connu Sabrina. Était-elle venue pour moi ? Pour me voir ? Peu importait. Je ne pourrais pas l'ignorer encore longtemps, et c'était peut-être mieux ainsi. Si le symbole qui pendait autour de son cou était bel et bien celui que Sabrina avait gravé sur le mur de sa cuisine, sans doute aurait-elle une explication.

Lorsque je me suis retourné de nouveau pour la défier du regard, elle s'était volatilisée.

SEPT

La semaine suivante, Sabrina est revenue à Anna Caritas. Si le retour de Marianne Roberts avait créé une commotion, ce n'était rien comparé à l'accueil que réservaient les élèves à Sabrina.

Il fallait s'y attendre. Les murmures, les insultes lancées à la volée dans les corridors, les ricanements, les doigts pointés... Elle a même eu droit à des croquis peu élogieux collés sur son casier. Les gens la blâmaient pour la mort de Laurie. Même Sarah n'a pas osé aller lui parler lorsqu'elle a repris les cours. C'était comme si elles n'avaient jamais été amies. J'ai essayé d'aller la raisonner, de lui faire comprendre que Sabrina n'avait pas à être tenue responsable de ce qui s'était passé, mais elle m'a savamment ignoré.

Gabrielle se promenait dans l'école avec une rage apparente. Elle était plus révoltée par la réaction des autres que Sabrina elle-même, qui a traversé tout ça comme si elle remarquait à peine ce qui se passait autour d'elle.

— Je gaspillerai pas mon énergie sur eux. Ça servirait à rien. Je suis juste contente d'être ailleurs que chez nous ! nous a-t-elle confié.

— On devrait aller se plaindre à la direction, à un prof, quelque chose ! C'est vraiment dégueulasse, ce qu'ils font ! s'est empressée de répliquer Gab.

Chaque récré. Chaque midi. Même combat. Gabrielle refusait de lâcher prise. C'était peut-être sa façon de gérer ce qui s'était passé. En jetant son dévolu sur Sabrina, en se portant à sa défense, elle en oubliait sa propre frayeur. Sabrina, naturellement, effaçait chaque invective du revers de la main. On aurait dit qu'elle compatissait avec Gabrielle, alors que l'inverse aurait eu plus de sens. Anthony a commencé à s'impatienter, sommant Gab de changer de discours. Il était d'avis que Sabrina, de toute évidence, ne s'inquiétait plus de sa réputation à Anna Caritas, que c'était même le dernier de ses soucis.

Tous les après-midis, après l'école, Sab nous quittait avec une lueur de panique dans les yeux. Elle ne se plaignait pas. Elle ne nous demandait rien. Mais parfois elle nous regardait, les yeux las, et nous dévoilait brièvement le fond de sa pensée avant de retomber dans la lune. C'était terrifiant. Elle semblait avoir la capacité d'aller et venir dans son corps à sa guise.

— Je sais pas ce qu'on a réveillé… mais c'est encore dans la maison. Pis ça m'empêche de dormir. J'ai beau avaler toutes les pilules qu'y me donnent, ça change rien. Mes parents pensent que je suis folle, que je raconte n'importe quoi…

Je côtoyais Sabrina Viau depuis plus d'un an, mais j'avais du mal à la reconnaître. Je savais que c'était elle, mais quelque chose avait changé. Elle n'avait plus rien de la Sabrina que je m'étais amusé à détester. Elle avait beaucoup maigri en une semaine. Je la soupçonnais de ne rien avaler. Avec nous, du moins, elle prétendait n'avoir jamais faim.

Dans un élan de colère, elle avait coupé ses cheveux durant le week-end avant son retour à l'école. Ses longs cheveux blond cendré et ondulés qu'elle laissait retomber sur ses épaules n'existaient plus. Ils avaient été grossièrement coupés à la hauteur de son cou et s'éparpillaient devant son visage, raides et épars. À cette longueur, le blond tirait plus sur le châtain, presque brun. Je n'aurais su dire si elle y avait appliqué un quelconque produit ou si elle ne se les était tout simplement pas lavés depuis des jours, mais avec ses cheveux en bataille, elle était méconnaissable.

Je n'avais jamais vu Sabrina au naturel. Ce n'était pas le genre de fille à se maquiller à outrance, mais elle s'appliquait toujours un peu de baume sur les lèvres, un peu de mascara noir. Un peu de fond de teint aussi, j'imagine, parce que je n'avais jamais remarqué les plaques rouges sur ses joues, un début d'acné, peut-être. Elle ne se maquillait plus. Elle avait, semble-t-il, décidé de porter ses blessures avec assurance, se moquant bien des commentaires des autres. Ses cils blonds, presque blancs, contrastaient avec les cernes sombres qui entouraient ses yeux. Cette semaine-là, elle m'a soudainement semblé beaucoup plus jeune. De mon âge. Une fille comme les autres.

Elle marchait désormais repliée sur elle-même, les mains dans les poches de sa veste kangourou noire zippée jusqu'au cou, le capuchon remonté obscurcissant son visage. Aussitôt qu'elle posait le pied dehors, elle mettait d'énormes verres fumés. Elle avait aussi troqué sa jupe pour le pantalon noir standard de l'école et chaussait une paire de baskets qui devait sans doute faire partie de sa garde-robe d'avant Saint-Hector.

Plus la semaine avançait, plus Sabrina s'effaçait. Elle s'est mise à moins parler, et lorsqu'elle se décidait à dire quelque chose, c'était toujours sur un ton étrange. Presque un murmure. On aurait dit qu'elle avait peur que ce qui hantait sa maison, peu importe ce que c'était, l'entende, même à des lieues de là.

Lorsque la semaine a tiré à sa fin, il faisait particulièrement beau. Un avant-goût de l'été. Pour la première fois depuis longtemps, le gazon qui parsemait le terrain de l'école était sec. Les bourgeons se transformaient peu à peu en feuilles vertes et les tulipes du terre-plein devant le collège entamaient leur éclosion. Aucun nuage en vue. Juste un bleu pur et du soleil aveuglant et chaud.

Sur notre heure de lunch, Gabrielle, Sabrina et moi avons décidé d'attendre Anthony sous notre chêne habituel. Il devait absolument se rendre au gymnase pour une réunion de son équipe de volley-ball. Ils participeraient à un tournoi pendant le week-end et leur coach tenait à les rencontrer pour passer à travers les derniers détails.

Pendant que je mangeais mon sandwich au beurre d'arachide fait à la hâte avant de partir pour l'école le matin même, Gabrielle croquait nonchalamment des crudités, adossée au tronc de notre arbre. Elle avait le nez plongé dans un bouquin intitulé *Communiquer avec l'au-delà en 15 leçons* qu'elle avait emprunté à la bibliothèque de la ville. Jamais sœur Catherine n'aurait tenu un tel ouvrage dans ses rayons. À la bibliothèque de l'école, les ouvrages ne contiennent ni violence, ni sexe, ni blasphème. N'évoquent aucun tabou. Les seuls livres sur la sexualité qu'on peut trouver au collège datent des années 1960. Tout le monde sait qu'il vaut mieux se rabattre sur la bibliothèque municipale pour n'importe quelle recherche qui serait le moindrement «inappropriée». J'ai eu beau dire à Gab qu'elle perdait son temps, que ces livres-là sont écrits pour les vieilles dames qui pensent que toutes les personnes de leur entourage se transforment en anges une fois qu'elles sont mortes, elle tenait mordicus à poursuivre sa lecture.

Sabrina s'est improvisé une couchette avec son manteau et sa veste à capuchon. Elle n'a rien dit, mais je crois qu'elle était heureuse d'être enfin à l'écart des autres. Notre chêne se trouve en retrait, aux limites du terrain officiel de l'école. La majorité des étudiants évitent l'endroit à cause de sa proximité avec la résidence de la congrégation des sœurs. Celles-ci sont réputées pour n'avoir que peu de tolérance envers toute forme d'excitation. Les nouveaux élèves l'apprennent chaque année à leurs dépens. Il n'est pas rare de voir l'un d'eux se faire escorter par une des religieuses jusqu'au bureau de la directrice parce que son ballon boueux a «malencontreusement» frappé de plein fouet une des fenêtres de la maison.

Sabrina était étendue juste devant moi, les deux mains derrière la tête, et prenait un bain de soleil. Pendant un moment, j'ai cru qu'elle s'était endormie. Derrière son immense paire de lunettes noires, impossible de savoir si elle avait les yeux clos ou non. Elle inspirait profondément, comme si elle essayait de faire des réserves de la brise estivale qui nous arrivait du sud. Elle a étiré ses bras en bâillant avant d'inspecter les alentours. Son regard s'est posé au loin. Je l'ai observée dans ses rêveries du coin de l'œil. Elle est restée complètement immobile pendant au moins une minute. Peut-être plus. Ça m'a semblé une éternité. On aurait dit qu'elle posait pour un peintre ou un sculpteur. Ses jambes reposaient, allongées l'une sur l'autre, son dos était droit, son buste légèrement tourné vers sa gauche. Ses cheveux, soigneusement placés derrière son oreille, dégageaient son visage et dévoilaient la fine ligne dessinée par sa mâchoire qui venait se perdre dans son long cou. Je l'ai trouvée jolie. Ça m'a surpris.

Toujours stoïque, le regard au loin, elle a soudainement brisé le silence d'une voix légèrement feutrée.

— Pourquoi tu me regardes comme ça, William ?

J'ai dû devenir écarlate, parce qu'elle a éclaté de rire. Elle s'est retournée vers moi en s'assoyant sur ses pieds.

— Je te niaise, fais pas cet air-là !

Après avoir scanné de nouveau les alentours, Sabrina a déposé ses lunettes de soleil sur le gazon avant de retirer son chandail, sous lequel elle portait une camisole noire. Elle a lancé un soupir de soulagement en ébouriffant ses cheveux avec ses doigts, puis s'est allongée sur le ventre pour me faire face en s'appuyant sur ses coudes. En plus de la gaze qui lui entourait toujours la main droite, elle dissimulait, sous son chandail, deux pansements qui remontaient le long de ses avant-bras comme des manches ainsi qu'une bande sur un de ses biceps. Le col de sa camisole laissait entrevoir une autre blessure sur laquelle reposaient toujours des bandes de rapprochement.

Afin d'éviter de m'attarder trop longtemps sur Sab, j'ai détourné les yeux pour regarder au loin. Deux religieuses sont passées à côté de nous en nous saluant poliment. Nous leur avons rendu leur salut d'un petit mouvement de la tête. Une fois qu'elles ont été hors de portée de voix, Sabrina a lancé :

— Je te gage qu'elles ont pas de problèmes, eux autres. Sont saintes, pis toute.

— Je connais pas grand-chose là-dedans, mais t'as peut-être raison. Peut-être qu'on peut demander des conseils à Turcotte.

— Le curé ? T'es malade ! Y va vouloir m'attacher sur un lit pis me lancer de l'eau bénite ! De toute façon, on est pas croyants. Je suis même pas baptisée !

— Je disais ça de même. Dans les films…

Je n'ai pas eu le temps de terminer ma phrase. Anthony est arrivé d'un pas résolu, visiblement contrarié. Il s'est affalé par terre à côté de Gabrielle qui s'est enfin décidée à déposer son livre ridicule.

— Qu'est-ce que t'as ? lui a-t-elle demandé en lui passant une main dans les cheveux.

— Maddox nous laisse tomber ! C'est dégueulasse, faire ça une journée avant le tournoi ! J'aurais dû me douter qu'il se passait de quoi quand il s'est pas pointé à la pratique de mardi !

Sabrina a eu l'air étonnée.

— Maddox ? C'est pas son genre. Sa vie, c'est le sport ! a-t-elle lancé.

— Ouin, ben pas ces temps-ci, on dirait. Y a l'air d'un mort vivant. C'est à peine s'il a été capable d'articuler deux mots de suite !

Maddox Gauvin.

Il était venu nous voir pour nous dire qu'il se passait des choses étranges chez lui, que ce que nous avions invoqué chez Sabrina l'avait suivi. Je ne l'avais pas revu depuis, mais j'ai été soudainement persuadé que, peut-être, une partie des réponses à nos questions se trouvait là, avec Maddox. S'il se passait des phénomènes bizarres chez Sabrina, rien n'empêchait que la même chose arrive pour lui aussi. Même moi, j'avais toujours l'impression d'être observé quand je me couchais le soir ; c'était insupportable. J'avais passé les trois dernières nuits sur le canapé du sous-sol, juste pour ne pas être dans ma chambre.

Sabrina a baissé la tête avant de dire tout bas :

— Je peux essayer de lui parler, si tu veux.

— Je pense pas que ce soit une bonne idée… Lui pis Sarah sont convaincus que t'es le diable en personne ! s'est exclamée Gabrielle.

Sabrina a eu l'air offusquée. Ses yeux se sont remplis d'eau et elle s'est mise debout. Elle a rapidement enfilé son chandail avant d'agripper sa veste, son sac et de partir vers l'école en courant.

Gabrielle nous a regardés, médusée.

— Quoi ? Qu'est-ce que j'ai fait de pas correct ?

— T'as été un peu raide, que je lui ai répondu.

— Ben là, franchement ! Je fais tout pour l'aider ! J'ai essayé de parler à Sarah hier, mais elle veut rien savoir. Elle dit que tout ce qui arrive, c'est la faute à Sab !

— On était tous là. On est tous responsables, ai-je dit.

— *Come on!* Vous allez pas me faire avaler que vous croyez que la maison de Sabrina est hantée ! a rigolé Anthony.

Gabrielle et moi l'avons dévisagé. Une partie de moi aurait voulu l'imiter et nier le fait qu'il se passait des phénomènes étranges chez Sabrina. Ça aurait été plus simple. Le problème, c'est que j'y croyais. Je n'avais pas d'autre choix. Non seulement avais-je été témoin de choses insensées pendant que nous jouions au **OUIJA,** je ne pouvais pas chasser l'image de Sabrina devant son miroir, effrayée. Je n'avais pas osé lui demander ce qu'elle y avait vu, mais ce devait être assez terrorisant pour qu'elle le fasse éclater en morceaux. Jamais je ne serai capable d'oublier son expression troublante.

Gabrielle a rangé violemment le livre de la bibliothèque dans son sac en se levant d'un bond.

— T'es con, toi, quand tu veux…

Elle s'est retournée vers moi, comme si Anthony avait soudainement disparu.

— Je vais essayer de la retrouver pour m'excuser. On se voit après la dernière période ?

J'ai acquiescé en silence sous le regard ébahi d'Anthony. Gabrielle a tourné les talons et s'est dirigée tout droit vers l'école en continuant d'ignorer mon meilleur ami.

HUIT

Ne sachant trop quoi faire, je me suis levé à mon tour et j'ai commencé à ramasser mes affaires qui étaient étalées sur la pelouse, en évitant de croiser la mine déconcertée d'Anthony.

— Will, s'il te plaît ! Tu vas pas me dire que t'embarques dans leur jeu, toi avec ? Je veux ben croire qu'elles ont eu la chienne, mais un moment donné, va falloir en revenir !

— T'as pas vu ce qu'on a vu ! J'te jure, t'aurais la chienne, toi aussi.

Nous avons marché en silence. Anthony avait l'air encore plus furieux que lorsqu'il était venu nous rejoindre au pied du grand chêne. D'un côté, il avait raison. Il faudrait éventuellement lâcher prise. Ça allait bientôt faire deux semaines que c'était arrivé et absolument rien ne nous prouvait que Sabrina disait la vérité. Elle avait toujours cherché à attirer l'attention, d'une manière ou d'une autre. Il ne s'agissait peut-être que d'une façon pour elle de faire face au décès de Laurie et au gâchis qu'avait fini par devenir sa petite fête improvisée.

Pourtant, au plus profond de moi, je sentais que quelque chose clochait. Maddox aussi agissait étrangement depuis cette nuit-là. Il avait tenté de nous en parler, et Anthony s'était presque moqué de lui. Sarah refusait de nous adresser la parole. Sabrina avait affirmé à Gabrielle que les objets bougeaient dans sa chambre, qu'elle entendait des murmures lorsqu'elle était chez elle. Je ressentais également un certain malaise… je n'aurais pas pu l'identifier. Chose certaine, j'avais le sentiment bizarre que je devais surveiller mes arrières, que je n'étais pas en sécurité. Gabrielle semblait partager mon état d'esprit. Elle dormait peu, et lorsqu'elle réussissait à trouver le sommeil, elle était assaillie par des rêves déroutants.

Je m'inquiétais pour Sabrina. Je m'en faisais pour Gabrielle. Je me serais tracassé pour Maddox et Sarah s'ils m'en avaient laissé l'opportunité. Et la seule personne à qui je me confiais habituellement se bornait à faire abstraction de ce qui était en train de se passer.

Nous sommes montés à l'étage où se trouvaient nos casiers respectifs, un à côté de l'autre. La première cloche a retenti dans l'école et les élèves ont envahi les corridors dans le chaos habituel d'Anna Caritas. Il y avait toujours une certaine fébrilité dans l'air les vendredis après le dîner.

— Penses-tu que Gab est vraiment *pissed* contre moi ? T'sais, c'est pas que je comprends pas… c'est juste que des fois, tu veux tellement croire en quelque chose que tu finis par penser que c'est vrai.

— Ben voyons ! T'étais là, avec nous autres, j'ai pas halluciné ça ?

— Will, rappelle-toi comment t'as eu la peur de ta vie quand on avait joué chez nous ! Pis c'est moi qui avais tout machiné, juste pour que tu te pisses dessus. Tu y as cru ben raide, toi aussi, cette fois-là !

— Mais les chandelles ? Les bibelots ? La télé ? J'suis pas fou !

— Ta tête qui t'a joué un tour ! Tu devais être saoul, quelque chose, je l'sais pas, moi ! J'suis sûr que c'est Maddox qui faisait bouger la patente tout le long.

Anthony préférait nier ce que nous avions vécu plutôt que d'admettre qu'il avait tout vu, lui aussi. Plus il répliquait, plus j'avais l'impression qu'il tentait d'insinuer que je perdais la raison… J'ai donc essayé de le convaincre avec le meilleur argument qui soit : sa blonde.

— Gab y croit, elle, ai-je répliqué.

Il a soupiré de découragement.

— Laisse tomber, *man*, m'a conseillé Anthony en fouillant dans le bordel de son casier. Sabrina est pas dans son état normal. Si tu veux mon avis, je commence même à penser qu'elle exagère un peu trop. Les filles, ça se raconte tout le temps plein d'histoires. Plus tu vas embarquer dans leur affaire, plus elles vont en rajouter. Elles se nourrissent l'une de l'autre. Tu vas voir… dans une couple de semaines, on n'en entendra pus parler.

J'ai refait la combinaison de mon cadenas pour une troisième fois. La deuxième cloche, qui annonçait la fin du dîner, allait bientôt sonner, et il fallait que je monte deux étages et que je me rende à l'autre bout de l'école pour mon cours de gym, une des seules périodes que je ne partageais pas avec Anthony.

— Je l'sais. Mais j'ai quand même d'la misère à croire que Sab a été capable d'orchestrer ça toute seule en si peu de temps. Mettons qu'y s'est passé, quoi, un gros quinze minutes max entre le temps où on est partis pis le temps où on y est retournés… Mettons… Y aurait fallu qu'elle coure comme une débile juste pour graver l'étoile sur le mur. Qu'elle aille chercher une échelle, un couteau, qu'elle monte dedans, qu'elle…

— OK. OK. Pas besoin de me faire un dessin !

— Pis la vaisselle, ai-je continué en fourrant mon linge d'éducation physique dans mon sac. Comment elle aurait pu faire ça aussi vite ? Pis les ustensiles ? Pis la chaise… On s'entend, Sab doit pas peser cent livres, même après avoir bouffé douze pizzas ! Ça prend un minimum de force pour péter une chaise de même !

— Will, t'es mon *best*, tu le sais. Mais j'te l'dis pareil… pour ton bien : oublie ça.

Puis il a haussé les épaules en faisant une moue indécise. Il a refermé la porte de son casier en enfilant la ganse de son sac à dos.

— Faut que j'y aille, *dude*, je vais être en retard et j'ai Choquette cet après-midi. Pas le goût de me retrouver en retenue encore.

Anthony m'a tendu son poing que j'ai frappé avec le mien en retour, même si j'avais plutôt envie de continuer sur mon élan et de l'atteindre en plein visage. Puis il est parti à la course vers la classe de monsieur Choquette au premier étage. Oublier… C'était ça, sa solution ! Je n'arrivais pas à le croire.

J'ai sacré à voix basse en regardant l'heure sur mon téléphone. Si je ne me dépêchais pas, non seulement j'arriverais en retard à mon cours d'éduc, mais je serais pogné dans l'équipe des *losers*.

J'ai fermé mon casier en vitesse, reverrouillé mon cadenas et j'ai pris mes jambes à mon cou. J'ai grimpé les marches trois par trois, en tassant les paresseux sur mon chemin. En arrivant au quatrième, j'ai fait un virage à droite et je me suis lancé dans un sprint pour atteindre l'autre bout du grand corridor, où se trouve l'entrée des vestiaires de la palestre.

— ON MARCHE, DANS LES CORRIDORS, MONSIEUR WALKER !

J'ai arrêté ma course en rouspétant entre mes dents. Madame Garcia se tenait droite devant la porte de son local, les bras derrière son dos comme un caporal d'armée. J'ai continué en marchant rapidement, ignorant le sourire satisfait de ma prof de géo de secondaire I. J'étais presque rendu quand le son de la cloche a tinté en écho dans le corridor vide. J'ai essayé d'ouvrir la porte du vestiaire, sans succès. *Fuck. Fuck. Fuck.* J'ai donné un coup de pied dedans pour me défouler. Ça voulait dire que je devais descendre un étage plus bas et passer devant tout le groupe pour me rendre jusqu'au vestiaire en traversant la palestre sous les yeux méchants de monsieur Béchard.

J'ai encore sacré du bout des lèvres et j'ai fait demi-tour pour tomber face à face avec Marianne Roberts qui se tenait juste devant moi, les bras croisés.

— C'est pas bien de blasphémer, Walker, m'a-t-elle dit, un sourire narquois dessiné sur ses lèvres. Surtout pas ici !

Je me suis senti défaillir. Dans le creux de mon ventre, quelque chose s'est réveillé, une chaleur inouïe, comme si mes tripes abritaient une sécheuse en marche. Je l'avais déjà idolâtrée. J'avais souvent rêvé d'elle. Mais me retrouver seul avec elle me faisait perdre mes moyens.

Elle se souvenait donc de moi.

— J'étais pas sûr si tu m'avais reconnu…, ai-je dit.

— La famille Walker, 310 de l'Avenue, pas loin du parc de baseball. Je pense que j'ai encore des marques de morsure de ta sœur quelque part dans le dos.

— Ouais, elle était pas reposante, Lily, quand on était petits!

J'avais presque oublié que sa voix était capable d'autant de douceur. Depuis qu'elle était partie de Saint-Hector, les différentes personnalités qu'on lui avait attribuées avaient réussi à effacer de ma mémoire la vraie Marianne, celle qui avait été notre gardienne attitrée, à mes sœurs et moi, pendant les quelques mois où ma mère avait travaillé de soir.

Elle avait répondu à la petite annonce que maman avait affichée sur le babillard de Chez Madeleine, le petit café de la rue Principale. Ma mère, trop occupée à essayer de subvenir à nos besoins, ne savait rien de la réputation des Roberts. Pour elle, Marianne était une jeune adolescente comme les autres, un peu excentrique, certes, mais pas méchante. Et puis, comme personne d'autre ne semblait répondre à l'appel, Marianne Roberts était entrée dans nos vies. Elle était à peine plus âgée que moi, mais de toute façon, c'est surtout de mes sœurs qu'elle avait la garde. Moi, je n'arrivais pas à les contrôler. Marianne, elle, avait un don pour les persuader de l'écouter.

— C'est drôle de te revoir ici. T'as grandi.

— Ça fait quand même trois ans, si c'est pas plus que ça…

C'était bizarre de lui parler. Pour vrai, cette fois-ci. Seulement, je ne savais pas quoi lui dire. J'avais passé et repassé des centaines de questions dans ma tête depuis le jour où elle s'était volatilisée de Saint-Hector, mais je me voyais mal les lui balancer d'un coup. Pas là. Pas comme ça. J'aurais voulu qu'elle regarde ailleurs, qu'elle cesse de rester là sans bouger, à me sourire étrangement, à m'étudier. Je me suis senti idiot de me tenir devant elle sans rien faire. J'avais beau m'être imaginé ce moment à maintes reprises depuis les deux dernières semaines, tous les mots se mélangeaient dans ma tête.

— On dirait que t'es arrivé trop tard, a-t-elle fini par dire en montrant du doigt la porte du vestiaire.

— Ouais… Connaissant Béchard, y va ben me faire faire une centaine de *push-ups* juste pour me l'faire payer ! Toi, t'as pas de cours ?

— Sœur Denise veut me voir, y paraît.

— *Shit*. C'est jamais bon signe, ça.

Elle a haussé les épaules, les yeux mi-clos.

— Vaut mieux sœur Denise que mon cours d'histoire plate. Je t'accompagne ?

Nous nous sommes mis à marcher en direction de l'escalier qui mène au troisième étage de l'aile est. Je me suis senti presque soulagé que les corridors soient vides. Malgré tout,

Marianne continuait d'alimenter la machine à rumeurs de l'école et de la ville. Si on m'avait vu en sa compagnie, en train de lui parler, c'en était fini pour moi.

Elle s'est informée de comment allaient ma mère, mes sœurs. Elle m'a avoué avoir gardé un précieux souvenir de cette époque-là, de nos soirées cinéma où je la forçais à regarder le même film semaine après semaine. Elle me parlait normalement, comme si j'étais son ami de longue date.

Nous sommes rapidement arrivés à la porte de la palestre. À travers la petite fenêtre verticale, j'ai pu constater que monsieur Béchard avait sorti l'équipement de hockey cosom et que les deux capitaines attitrés en étaient à choisir leurs équipes. Je pouvais donc dire adieu au poste de gardien de but.

Je me suis retourné vers Marianne en me positionnant pour que personne dans le gymnase ne m'entrevoie par la fenêtre.

— Déjà arrivé, on dirait…

— On dirait, oui.

— Je voulais te dire que je m'excuse pour l'autre fois. Je m'attendais pas à ce que ce soit toi qui livres la pizza… Ça m'a pris par surprise.

— Ouais, bah ! J'avais besoin d'une job pis eux avaient besoin de quelqu'un avec un char… C'est pas l'employeur de l'année, mais les pourboires sont bons.

Elle m'a fait un clin d'œil en s'éloignant à reculons. Elle continuait de me fixer dans les yeux, un sourire en coin. Une mèche des cheveux s'est défaite de son chignon pour venir tomber devant son visage.

— Salut Walker ! Bonne chance !

Elle s'est retournée en sautillant et s'est mise à marcher vers l'aile est où se trouve le bureau de sœur Denise. Je suis resté planté là, hypnotisé par le bruit de ses bottes sur le vieux linoléum qui recouvre les planchers de l'école, incapable de lui renvoyer son salut. Je me suis précipité vers elle pour la rattraper.

— Marianne, attends !

Elle s'est arrêtée brusquement pour me faire face à nouveau. J'ai scruté le corridor rapidement pour trouver un endroit où nous pourrions discuter à l'abri des regards indiscrets.

— Viens, lui ai-je chuchoté en l'entraînant vers une salle de classe vide.

Une fois la porte refermée derrière nous, j'ai jeté un coup d'œil à l'extérieur pour être sûr que personne ne nous avait vus entrer et je lui ai fait signe de me suivre jusqu'au fond de la pièce. Elle s'est adossée au mur, l'air curieuse et plutôt amusée par la situation. J'ai essuyé mes mains moites sur le haut de mes pantalons en essayant de respirer normalement, tentant désespérément de trouver les mots justes. Je me suis rapproché d'elle un peu plus. Je ne voulais pas que le son de ma voix se répercute jusque dans le corridor. Marianne a émis un petit ricanement.

— T'as plus de *guts* que j'pensais, Walker !

J'ai porté mon index à mes lèvres en insistant du regard pour qu'elle baisse le ton. Elle a froncé les sourcils en continuant de rire nerveusement. J'ai inspiré profondément et je lui ai demandé à voix basse :

— Le pendentif que tu portes dans ton cou… le symbole qu'il y a dessus… C'est quoi ? Qu'est-ce que ça veut dire ?

Le visage de Marianne s'est assombri. Elle a porté une main à l'endroit où le médaillon se trouvait sous son chandail comme si elle avait peur que je sois capable de le voir à travers le tissu ou que je le lui arrache. Elle a regardé par terre, cherchant peut-être quelque chose du regard, avant de se redresser et de me fixer droit dans les yeux.

— C'est rien. Juste un truc que j'ai acheté dans un marché aux puces. C'est tout ? C'est juste ça que tu voulais savoir ?

Elle a fait mine de s'en aller, mais c'était plus fort que moi. Je l'ai agrippée par la hanche pour la retenir. Elle a semblé surprise que j'ose la toucher.

— J'te crois pas.

Marianne m'a étudié quelques secondes avant de changer complètement d'attitude, comme si elle venait d'enlever un masque. Je n'aurais pas pu dire si c'était de la panique ou de la colère que je lisais sur son visage. Elle a reculé d'un pas en retirant ma main qui était toujours fusionnée à son chandail.

— Écoute, je sais pas ce que tu veux que j'te dise, mais j'ai pas de temps à perdre avec tes niaiseries… OK ? Maintenant, si ça te dérange pas trop, il faut que j'aille voir ce que sœur Denise me veut.

— Écoute-moi, s'il te plaît…

Je devais la retenir, essayer de lui faire comprendre. De plus en plus nerveux, j'ai fouillé frénétiquement dans mes poches pour attraper mon téléphone et j'ai fait glisser mon doigt dans tous les sens. J'avais sans doute l'air d'un fou furieux. Au bout d'un moment, j'ai montré à Marianne l'image que je venais de dessiner sur l'écran, en cachant à peine mon tremblement.

— Y a deux semaines, on a laissé entrer quelque chose dans la maison de Sabrina. Je l'sais pas ce que c'est, ni ce que ça veut. Mais je pense que ça a tué notre amie Laurie. J'pense que là, c'est en train de s'attaquer à Sabrina. À un autre de mes amis aussi. Tu vois ça ? C'est elle qui a gravé ça sur le mur de sa cuisine... Elle s'en rappelle même pas ! C'est ce symbole-là que tu portes autour du cou. J'ai aucune idée si tout ce qu'on raconte sur toi est vrai… mais je pense qu'elle a besoin de ton aide.

Marianne a fixé sans bouger l'étoile à cinq branches, rudimentaire, sur l'écran de mon téléphone. Son expression était effacée, son regard perdu quelque part entre le symbole et le vide. Délicatement, elle a repoussé mon appareil du revers de la main sans oser relever les yeux vers moi.

— C'est de Viau que tu parles ? T'étais là ?

J'ai acquiescé discrètement de la tête. Je n'avais plus la force de rajouter quoi que ce soit, comme si je venais de me vider de mon énergie. J'arrivais à peine à croire que je lui avais dit tout cela sans broncher, sans me mettre à hurler.

— William… Je sais pas c'que vous avez fait ou c'qui s'est passé… J'aimerais ça pouvoir t'aider, mais je peux pas. J'ai promis… Je peux juste pas… Mais si j'étais ton amie, je resterais pas dans la maison. Dis-lui ça. De partir…

Elle a posé sa main sur mon épaule en se détournant de moi. Elle avait l'air démolie par sa propre réponse. Dégoûtée, presque. Elle a laissé le bout de ses doigts glisser le long de mon torse sans s'en rendre compte. Son esprit était ailleurs, on aurait dit une somnambule. Elle a retiré sa main pour replacer sur son épaule la ganse de son sac.

— Je m'excuse…, a-t-elle murmuré d'une voix rauque.

Avant même que j'aie le temps de réagir, elle avait déjà quitté la classe vide, me laissant seul avec mes tremblements, mon vertige et mon estomac noué par la déception. J'avais tout gâché. Je m'y étais pris maladroitement, sans réfléchir. J'aurais dû attendre, gagner sa confiance peu à peu pour ensuite lui demander son aide. Là, je venais de la mettre au pied du mur et elle n'avait pas aimé ça. Au moins, j'étais un peu plus avancé : c'était désormais clair et limpide pour moi que Marianne savait quelque chose.

NEUF

Le lendemain, je n'ai pas eu de nouvelles d'Anthony.

Le samedi, il m'appelle généralement vers 10 heures le matin pour savoir ce que je bricole de ma journée. À la radio de la cuisine, ils annonçaient une chaleur record pour la journée, du jamais vu pour la fin du mois d'avril. C'était l'occasion parfaite pour sortir nos planches et aller traîner dans les parcs de l'ouest de la ville ou dans le stationnement de la banque. Le temps idéal pour se changer les idées. Pour se retrouver juste tous les deux, sans Gabrielle, sans histoires d'horreur. Je savais qu'il avait son tournoi de volley-ball plus tard dans l'après-midi et que ça l'occuperait, si tout allait bien, pour le restant de la fin de semaine. J'aurais au moins voulu passer l'avant-midi avec lui.

Dès 9 heures, j'étais douché, habillé et nourri, prêt à affronter la première vraie journée où je n'aurais pas à traîner mon manteau avec moi. À 10 heures, toujours aucune nouvelle de mon ami. Je lui ai envoyé quelques emojis ridicules en espérant qu'il réagisse. Rien. Lorsque j'ai téléphoné chez lui vers 11 heures, j'ai eu le répondeur. Idem pour son cellulaire. À midi, évaché sur le sofa du salon, j'ai pilé sur mon orgueil et j'ai texté Gabrielle.

SALUT GAB. SAIS-TU OÙ EST PASSÉ TON CHUM ?

La réponse est arrivée presque instantanément.

JE SAIS PAS. TOUJOURS EN PUNITION SÛREMENT.

Après un moment, la messagerie a sonné de nouveau.

JE M'EN FOUS, a-t-elle jugé nécessaire d'ajouter.

Apparemment, les deux se boudaient toujours depuis la veille. Lorsque Anthony et moi avions rejoint Gabrielle après les cours, elle était restée distante avec lui jusqu'à ce que ses parents viennent le récupérer. Elle ne l'avait même pas embrassé. Sabrina, elle, n'était nulle part en vue. C'est sœur Catherine qui nous a informés, au bout de plusieurs minutes, que nous l'attendions pour rien. Elle avait quitté l'école plus tôt, après l'heure du dîner.

J'ai réfléchi un moment, ne sachant trop quoi répondre à Gabrielle. J'ai fini par lui envoyer un bonhomme jaune avec un air triste. Elle n'a rien répliqué.

Déprimé, j'ai fait le tour des chaînes sur la télévision des dizaines de fois, ne trouvant rien de bon à regarder sauf des vieux films entrecoupés d'un million de pauses publicitaires. Je n'ai même pas bronché quand ma mère est venue passer l'aspirateur dans la pièce sans me porter la moindre attention à part pour me tempêter, sur un ton découragé, de faire comme mes deux sœurs et d'aller jouer dehors un peu.

Vers 14 heures, je me suis botté le derrière et je me suis traîné jusqu'à la cuisine pour vider le pot de beurre d'arachide et le restant du sac de pain moelleux. J'allais monter à ma chambre avec mon festin quand la sonnette de la porte d'entrée a répandu sa mélodie niaiseuse dans la maison. Je me suis arrêté entre deux marches, espérant que ma mère irait ouvrir à ma place, lorsqu'on a sonné une deuxième fois. Maman, toujours en train de nettoyer la salle de bain à l'étage, m'a beuglé d'aller répondre, suivi de quelques grossièretés qui se sont perdues dans la ritournelle interminable de la sonnette.

J'ai déposé ma montagne de sandwichs au beurre d'arachide et la pinte de lait sur le bahut de l'entrée et j'ai ouvert la porte.

Au début, je ne l'ai pas reconnue tout de suite. À force de voir les gens toujours habillés de la même manière, on finit par croire qu'il n'existe rien d'autre à se mettre sur le dos que l'uniforme officiel du collège. Pourtant c'était bien Marianne qui se tenait devant moi, s'appuyant d'une main sur le cadre de la porte, mâchant sa gomme d'un air désinvolte.

Elle avait coiffé ses cheveux différemment en mettant en évidence la mèche bleue qu'elle avait l'habitude de cacher habilement à l'école. Elle portait une robe noire qui lui arrivait aux genoux, dévoilant la blancheur de ses jambes, par-dessus laquelle elle avait enfilé un manteau en jeans délavé. Ses lunettes de soleil paraissaient deux fois trop grandes pour elle, mais faisaient étrangement ressortir le rouge vif qu'elle avait appliqué sur ses lèvres.

J'étais tétanisé. Je suis resté planté là comme un légume en continuant de tenir la poignée de toutes mes forces, sous peine de m'écrouler par terre. Je m'étais attendu à voir apparaître Anthony ou un colporteur quelconque. Jamais Marianne. La surprise était choquante et déstabilisante, mais quelque part au fond de moi, j'étais heureux de la voir là, sur le pas de ma porte.

— Salut... Qu'est-ce que tu fais ici ? lui ai-je demandé.

Elle s'est redressée sans rien dire, sans sourire, sans réaction. Elle a montré sa vieille voiture, stationnée juste en face de la maison, avec son pouce.

— Embarque, m'a-t-elle ordonné.

J'ai zieuté la pile de sandwichs avec hésitation. J'ai demandé à Marianne de m'attendre trente secondes et j'ai couru dans la cuisine pour remettre la pinte de lait au froid et envelopper ma collation dans le premier sac de plastique que j'ai trouvé. J'ai attrapé mon sac à la volée, puis j'ai suivi Marianne jusqu'à sa voiture et je me suis élancé sur le siège passager.

— On va où ?

Elle a tourné la clef dans le contact en faisant rugir le moteur et, sans me lancer le moindre coup d'œil, elle a simplement dit :

— Attache-toi.

Marianne a poussé une cassette dans le lecteur en montant le volume au max, puis elle a fait crisser les pneus en démarrant sur les chapeaux de roues, au son d'une musique rock agressive que ma mère m'interdirait sûrement d'écouter. Malgré moi, je me suis agrippé à la portière. Je n'avais pas l'habitude d'être conduit aussi brutalement.

En quelques minutes, nous roulions bien au-delà de la limite permise sur la route 33. J'aurais voulu lui dire de ralentir, mais il n'y avait jamais de police dans le coin. J'avais surtout peur de lui apparaître comme un parfait crétin. Je l'ai donc jouée *cool* et j'ai abaissé la vitre pour laisser le vent me décoiffer encore plus que je l'étais déjà.

Marianne a tourné le volant si brusquement que j'ai cru pendant un instant qu'elle venait de perdre le contrôle du véhicule. Je me suis accroché au toit en retenant mon souffle, certain que ma dernière heure était arrivée, pendant que la vieille voiture s'aventurait à grande vitesse sur un petit chemin de terre cahoteux dans la forêt. Dans le rétroviseur, je pouvais apercevoir l'énorme nuage de poussière que nous soulevions sur notre passage.

Au bout de deux minutes, nous avons émergé des arbres pour aboutir au grand jour. Le soleil m'a aveuglé sur le coup. Marianne a enclenché le frein à main, faisant tournoyer la voiture sur elle-même avant de l'immobiliser complètement. À travers la musique tonitruante qui sortait des haut-parleurs et qui faisait trembler l'habitacle de l'auto, je l'ai entendue éclater de rire.

Une fois la poussière retombée autour de nous, j'ai reconnu l'endroit. Par je ne sais quel raccourci, Marianne avait réussi à pénétrer sur le terrain de l'ancien ciné-parc de Saint-Hector. L'endroit avait été abandonné depuis des années, et l'allée qui y menait auparavant avait été condamnée par d'énormes blocs de ciment, empêchant les voitures d'y entrer. Elle connaissait visiblement une autre issue.

Devant nous, le gigantesque écran blanc, ou du moins ce qu'il en restait, se dressait de façon majestueuse. La rouille s'était immiscée dans les moindres recoins et lui donnait une apparence étrangement squelettique. Ici et là, quelques panneaux étaient tombés, y laissant des trous béants ; il ressemblait à un casse-tête auquel il aurait manqué des morceaux. Plus loin, la bâtisse qui avait autrefois abrité le casse-croûte et la cabine de projection s'était écroulée sur elle-même, ne laissant qu'un amas de briques noircies, éparpillées et sales.

Marianne a baissé le volume de la radio et éteint le moteur en continuant de rire. Elle regardait l'écran avec insistance, comme si quelqu'un allait y projeter un film d'une minute à l'autre. Je n'ai rien dit. Je ne comprenais pas trop ce que je venais faire ici ni la raison qui m'avait poussé à suivre Marianne Roberts sans même réfléchir.

Elle a détaché sa ceinture de sécurité et s'est réinstallée plus confortablement en s'adossant à la portière. Ses genoux remontés vers sa poitrine, elle a posé ses bottes sur la banquette nonchalamment. De derrière ses verres fumés, j'ai eu l'impression qu'elle me scrutait. Ça m'a rendu mal à l'aise. Depuis que nous avions quitté ma maison, elle n'avait pas prononcé un seul mot, et voilà qu'elle me dévisageait en silence. Elle m'a donné un coup sur la cuisse du bout de sa botte.

— Fais pas cet air-là ! Je m'excuse. Mais t'aurais dû voir ta face ! s'est-elle esclaffée.

J'ai essayé de regarder ailleurs, mais il n'y avait pas grand-chose à voir à part l'écran décrépit et les arbres qui semblaient se refermer sur nous. Mes yeux se sont posés sur le médaillon qui pendait autour de son cou et qui retombait sur sa robe noire.

— C'est pas ce que tu penses, a-t-elle dit sur un ton plus sérieux.

J'ai sursauté en réalisant qu'elle m'avait surpris en flagrant délit. Elle a retiré ses lunettes pour plonger son regard perçant dans le mien. Le noir qu'elle avait crayonné autour de ses yeux faisait ressortir leur vert éclatant de façon hypnotique.

Je n'aimais pas la manière qu'elle avait de me dévisager. J'aurais juré qu'elle pouvait lire en moi.

Je me suis redressé en décidant de me placer face à elle. J'ai senti la brise chaude venir caresser ma nuque à travers la fenêtre ouverte derrière moi et j'ai été surpris par l'espace intérieur de l'automobile. J'aurais pu facilement allonger mes jambes sur la banquette en effleurant à peine Marianne. On aurait presque dit qu'on était évachés sur un sofa.

— Je m'excuse pour hier. J'aurais pas dû…

— C'est correct, m'a-t-elle interrompu. J'aurais fait pareil.

Marianne m'a jaugé pendant un instant. Un petit sourire s'est dessiné sur ses lèvres rouges et son regard a changé. Elle a soudainement eu l'air plus détendue. Plus elle-même. Elle a baissé la tête en riant, faisant tomber ses cheveux devant son visage.

— Quoi ? Qu'est-ce qui te fait rire ?

— T'es *weird*, Walker. Tu savais, ça ?

— Euh… merci ?

— Prends-le pas comme ça. C'est un compliment, j'te l'jure.

J'ai haussé les épaules en essayant de chasser ma nervosité. Je la trouvais fascinante. Chaque fois qu'elle s'adressait à moi, j'avais la sensation d'être plus léger, que le temps tournait différemment. J'ignorais si les rumeurs qui circulaient sur elle étaient fondées, mais elle me faisait presque peur.

— Tout le monde à l'école pense que t'es une sorcière, l'ai-je défiée.

Elle a ri nerveusement en jouant après un fil de sa robe.

— Sorcière, sorcière… c'est tellement péjoratif.

J'ai froncé les sourcils, trop gêné pour lui avouer que je n'avais aucune espèce d'idée de ce que ça voulait dire.

— Fait que c'est pas vrai?

— Walker, Walker… tu pourrais pas comprendre.

— Essaye toujours.

— Si ça peut te rassurer, je vénère pas le diable, pis j'passe pas mes nuits à chasser des enfants pour les dévorer.

— C'est quoi, ton médaillon, d'abord?

Marianne a poussé un soupir. Elle a hésité un peu avant de l'enlever et de me le tendre. Le petit objet, sculpté dans la pierre, était plus lourd que ce à quoi je m'attendais. Il était froid dans le creux de ma main. Une étoile à cinq branches entourée d'un cercle. À l'intérieur, à chaque embranchement de l'étoile, cinq cercles s'entrelaçaient.

— C'est un pentacle. Ça peut avoir plusieurs significations, plusieurs utilités… Celui-là sert à me protéger.

— À te protéger ? De quoi ?

Marianne a contemplé l'objet dans ma main en silence. Elle a eu l'air tiraillée entre l'envie de tout me dévoiler et celle de s'enfuir en courant.

— C'est pas important. C'est sûrement niaiseux de toute façon. Mais quand je l'ai autour du cou, je me sens mieux.

Je lui ai redonné le médaillon qu'elle s'est empressée de remettre autour de son cou. Elle l'a agrippé avec une main qu'elle a tenue refermée sur le pentacle, comme si elle avait peur que je le lui arrache.

— Ça a rien à voir avec ce que tu m'as montré hier.

— C'est le même symbole, non ?

— Pas vraiment. Écoute, je veux pas entrer dans les détails. C'est trop compliqué, trop complexe pis, sérieusement, tu devrais pas niaiser avec ça de toute façon. Mettons que ce que ton amie – Sabrina, c'est ça son nom, hein ? Mettons que… ce que Sabrina a gravé sur son mur… c'est pas bon signe. Y a une *huge* différence entre un pentagramme entouré d'un cercle, pis un pentagramme inversé qui est pas encerclé.

— Je comprends pas.

Marianne a détourné les yeux et regardé vers l'écran majestueux qui semblait sortir de nulle part. La musique s'est arrêtée et le lecteur de cassette a fait un drôle de bruit. Nous sommes demeurés en silence. Dans ma tête, il y avait des tonnes de questions qui jaillissaient. Je ne comprenais pas tout ce que me racontait Marianne, mais je savais qu'elle en connaissait plus qu'elle n'osait me le dire. J'étais persuadé qu'elle avait le pouvoir d'aider Sabrina, mais que quelque chose – ou, pire, quelqu'un – l'en empêchait.

Un sifflement étrange est sorti des haut-parleurs de l'auto. Ça m'a ramené loin derrière, dans mes souvenirs d'enfance, quand ma mère faisait jouer ses cassettes préférées sur la petite chaîne stéréo du salon. C'était le bruit qui confirmait que le lecteur avait changé de face et qui annonçait le début de la bande magnétique.

La voix feutrée d'une chanteuse m'est parvenue en sourdine au son de la guitare acoustique. Marianne avait l'air songeuse. J'ai brisé le silence qui venait de s'installer entre nous en lui répétant la même chose :

— Je comprends pas… Explique-moi.

— Tu devrais oublier ça, Walker.

— Je peux pas ! Elle veut pas nous dire c'qui s'est vraiment passé quand on l'a laissée toute seule, mais c'est juste pas possible qu'elle ait fait ça. Elle a vu quelque chose dans le miroir… quelque chose d'assez épeurant pour qu'elle perde les pédales. J'ai jamais eu la chienne de même.

— Raconte-moi... Explique-moi ce que vous avez fait.

Je lui ai tout dit, tout déballé dans les moindres détails. Les shooters, les lèvres de Sarah, les discussions à propos d'elle, le jeu de **OUIJA,** ce que j'avais vu, entendu, ressenti. J'ai revécu toute cette soirée infernale, sans être capable de prendre une pause pour me calmer. Plus je me confiais à Marianne, plus j'en avais besoin. L'accident, le corps inerte de Laurie, les cris de Sarah, la panique de Sab, les policiers, les questions qui ne finissaient jamais. Tout. Jusqu'au moment où Gabrielle et moi, après être partis et revenus, avions découvert la cuisine dévastée.

Pendant que je me vidais le cœur, Marianne est restée immobile, les yeux fermés comme si elle voulait être sûre de bien assimiler toute l'histoire. Lorsque j'ai eu terminé, elle n'a rien trouvé à dire. Au bout d'un moment, elle s'est réinstallée derrière le volant et a redémarré sa voiture.

— Qu'est-ce que tu fais ? l'ai-je interrogée.

— Je veux te montrer quelque chose…

Elle a repris le chemin de terre dissimulé par la végétation, à une vitesse plus appropriée qu'à notre arrivée, et a tourné sur la 33 en direction de la ville. Je n'ai même pas pris la peine de boucler ma ceinture cette fois. Je suis resté adossé à la portière à la regarder manier le volant, le soleil illuminant son visage et créant l'illusion que ses cheveux qui volaient dans tous les sens venaient de prendre en feu.

Nous sommes passés à travers la ville sans nous arrêter, en voyant défiler tour à tour Anna Caritas du côté conducteur, l'église de l'autre. Nous allions vers l'est, en direction du lac. Je ne me rends jamais là-bas, sauf quand Anthony insiste pour que j'aille chez lui pour une fois. Ce qui arrive rarement. Le paysage a changé de nouveau et la route a rétréci pour laisser place aux grands conifères qui règnent en rois et maîtres sur le bois qui jonche Saint-Hector. À l'embranchement, Marianne a légèrement dévié de sa trajectoire pour emprunter l'une des allées de gravelle qui serpentent parmi les arbres sombres.

Elle a enfoncé son pied sur l'accélérateur pour grimper la pente abrupte qui s'érigeait devant nous. Rendus au sommet, la lumière du soleil est revenue réchauffer nos faces alors que l'énorme auto brune de Marianne s'engageait sur le plateau. Sous nos yeux, le lac brillait à perte de vue. C'était immense et d'une beauté à couper le souffle. La route de gravelle s'est transformée en allée d'asphalte noir. Marianne a contourné le terre-plein et a continué un peu plus loin pour positionner lentement le véhicule tout près de la berge avant de l'immobiliser.

Elle a soupiré bruyamment en éteignant le moteur. Le silence nous a enveloppés. Seul le chant d'un oiseau lointain laissait présager quelque forme de vie à des kilomètres à la ronde. J'étais obnubilé par le paysage. J'ignorais jusque-là qu'un endroit aussi beau pouvait exister à quinze minutes de chez moi.

Marianne est sortie de la voiture en claquant la portière avec fracas. Elle s'est avancée devant l'auto pour s'asseoir sur le capot. Je l'ai imitée et je me suis installé à ses côtés. La brise de fin d'après-midi a transporté le parfum de Marianne jusqu'à moi et j'ai fermé les yeux un instant pour mieux m'en imprégner.

Soudainement, j'ai ressenti de nouveau cette impression étrange d'être observé. J'ai regardé autour de moi, paniqué, pour réaliser où nous étions. J'ai étudié longuement l'imposant manoir partiellement caché par les arbres. Pendant une fraction de seconde, les environs m'ont paru s'assombrir. L'endroit m'a tout à coup semblé macabre.

— C'est ici que tu vis ?

— Oui et non… C'était la maison de mon père. Y était tellement fier de son maudit manoir ! Pis Dakota aimait tellement ça se vanter qu'ils avaient acheté « un beau grand domaine » dans les Cantons. Moi, je l'ai toujours haïe, cette maison-là. C'est trop grand pour rien. Y faisait toujours froid. Le seul avantage, c'est que c'est tellement énorme que je pouvais passer des jours sans croiser la pimbêche à mon père. Pis ici, au moins, j'avais le droit d'aller où je voulais, quand je voulais. Mon père s'en foutait… j'veux dire… C'est *fucking* Saint-Hector ! Qu'est-ce qui pouvait ben m'arriver ?

Marianne a reniflé. Elle a rentré sa main dans la manche de sa veste en denim pour en essuyer la larme qui coulait le long de sa joue. Elle avait le regard perdu au loin, rivé sur le manoir colossal.

— Y sont morts là-dedans. Je pourrais pus jamais vivre là. Je suis même pas rentrée en dedans depuis que j'suis revenue. J'suis pas capable. Les avocats qui s'occupent de la succession payent une compagnie pour s'assurer que la place tombe pas en décrépitude… Pis moi je reste dans la garçonnière, un peu plus loin par là, de l'autre côté de la piscine. C'était ça ou me louer un appart, mais personne en ville a voulu me signer un bail. Je l'sais ce qu'y pensent… y pensent que c'est de ma faute. Que c'est moi qui les ai tués. De toute façon, je reçois mon argent au compte-gouttes, je pourrais même pas me payer un loyer ! Paraît que j'suis trop jeune pour tout hériter d'un coup.

Sa voix s'est brisée, mais elle est restée droite, les bras croisés sur sa poitrine. Derrière elle, le ciel commençait à prendre des teintes de rose et d'oranger. Je n'ai pas osé me rapprocher d'elle pour la consoler. J'aurais peut-être dû. Je me suis contenté de l'écouter. Si elle était aussi seule qu'elle en donnait l'impression, elle devait en avoir besoin depuis longtemps.

— La vérité, c'est qu'y savent rien. *Fuck all.* Après deux ans, y ont fini par classer l'affaire comme si rien n'était jamais arrivé. Gang de caves ! J'pense que c'est pour ça que j'suis revenue. Pour essayer de comprendre ce qui a pu se passer… peut-être aussi pour me convaincre que c'est pas de ma faute… Le monde peuvent ben dire c'qu'y veulent, Walker, je m'en contrefous. Mais y a personne qui va m'accuser d'avoir tué mon père pour son *cash*. Y'était *weird*, c'est vrai. Mais c'était la meilleure personne que je connaissais…

Mon téléphone a vibré dans ma poche. Je l'ai regardé discrètement pour constater que c'était ma mère qui se demandait où j'étais passé. Elle m'attendait pour préparer le souper. J'ai éteint l'écran du bout des doigts et je suis retourné à Marianne qui me regardait, toujours perdue dans ses souvenirs. Elle ne me souriait pas, mais il y avait quelque chose d'apaisant dans la façon qu'elle avait de m'observer.

— Pourquoi tu me racontes tout ça ? ai-je soufflé.

Elle a étiré son bras pour venir flatter le mien tendrement.

— Pour que tu comprennes. Pour que tu saches que j'suis passée par là, moi aussi… J'ai été conne. J'ai fait des affaires que j'aurais pas dû faire. J'ai joué avec le feu pis j'ai tellement aimé ça qu'à un moment donné, j'me suis perdue là-dedans… J'pense que c'est ça qui m'a coûté mon père. Je l'ai peut-être pas fait exprès, mais les gestes que j'ai faits, ça a fini par me r'venir en pleine face. C'te jour-là, je me suis promis de pus jamais toucher à ça. De pus jamais y penser, même pas un peu. Rien de bon qui peut en ressortir, *trust me* ! Y a des forces qu'il vaut mieux pas réveiller... Je l'ai appris à mes dépens. C'est pour ça que j'peux pas t'aider. J'peux pas aider ton amie Sabrina. Va falloir qu'elle se démerde toute seule pour réparer ce qu'elle a fait. Y a pas d'autre moyen.

— Pis si elle est pas capable ? J'suis censé faire quoi ?

Marianne m'a saisi par les épaules et a approché son visage du mien. D'une voix à peine audible, elle m'a sommé de ne rien faire.

— Tiens-toi loin, Walker. Mêle-toi pas de ça, OK ?

— C'est facile à dire !

— Promets-moi de pas chercher plus loin pourquoi c'est arrivé ! Jure-le-moi sur la tête de ta mère, de tes sœurs ! De ton père !

J'ai senti un frisson me parcourir le corps. Marianne continuait de me serrer de plus en plus fort. J'ai hoché la tête, apeuré par son changement soudain de comportement.

— OK, OK. J'te le jure.

Mon téléphone a recommencé à vibrer. Une fois. Deux fois. Trois fois. Marianne a défait son emprise, semblant reprendre ses esprits. J'ai sorti mon téléphone pour éplucher tous les messages que je venais de recevoir en quelques minutes. Le premier venait de Gabrielle.

WILL. APPELLE-MOI. NOW.

Les autres avaient été envoyés par Anthony.

WTF DUDE ? T'ES OÙ ?

TXT MOI AU PLUS SACRANT.

FUCK IT ! JE TE REJOINS CHEZ VOUS.

Un dernier venait de ma mère et faisait suite au texto qu'elle m'avait envoyé précédemment.

WILLIAM. FAUDRAIT QUE TU RENTRES SVP !
JE M'INQUIÈTE.

Ce n'est pas le genre de ma mère d'insister, encore moins de s'inquiéter. La plupart du temps, si elle ne me voit pas rentrer, elle présume que je mange ailleurs, chez Anthony ou chez Gab.

Marianne a eu l'air de comprendre mon état de panique et s'est tout de suite précipitée derrière le volant de sa grosse auto brune. Je me suis lancé sur le siège passager. Pendant que la voiture faisait demi-tour en direction de la 33, j'ai jeté

un dernier coup d'œil au lac. Aussitôt arrivée sur la route, Marianne a accéléré, créant un tourbillon de vent chaud qui entrait par les fenêtres ouvertes. Nous ne nous sommes pas parlé. Je crois qu'elle était à bout de force après s'être confiée à moi aussi ouvertement. L'après-midi m'avait épuisé également, mais j'étais content qu'elle ait décidé de débarquer chez moi à l'improviste. J'avais l'impression indescriptible de l'avoir toujours connue.

Elle a pris le virage sur la rue Principale sans effectuer l'arrêt obligatoire, sous les mines outrées des passants qui s'entassaient tranquillement dans les restaurants de la ville et sur les terrasses nouvellement ouvertes. Je me fichais désormais qu'on me remarque avec Marianne. Si les abrutis de Saint-Hector avaient la folle envie de colporter quelque rumeur que ce soit, grand bien leur fasse.

Marianne a fait serpenter sa voiture à travers les petites rues de la ville jusqu'à l'Avenue où je résidais. En tournant le coin, elle a ralenti pour atténuer le vrombissement du moteur afin de ne pas trop alerter mes voisins. À l'ouest, le soleil commençait à disparaître à l'horizon. Sous la lumière rosée du crépuscule, Anthony et Gabrielle m'attendaient, assis dans les marches de bois qui menaient à ma maison. Marianne s'est stationnée et m'a jeté un œil dubitatif en voyant mes deux amis, enlacés l'un contre l'autre.

En m'apercevant, Anthony a bondi pour venir à ma rencontre. Il portait toujours son uniforme de volley-ball aux couleurs d'Anna Caritas. Derrière lui, Gabrielle a levé la tête pour dévoiler ses yeux rouges et bouffis, comme si elle venait de pleurer toutes les larmes de son corps. Je suis sorti de la voiture en une fraction de seconde. Marianne est également descendue du véhicule, mais est restée de son côté à nous observer, une main sur la portière ouverte, l'autre posée sur le toit.

— *Man!* Ça fait une heure qu'on te cherche partout!

Il a fusillé Marianne du regard. Elle n'a pas eu l'air de s'en formaliser. Elle en avait vu bien d'autres. Gabrielle s'est approchée de nous au moment même où ma mère sortait sur le balcon, un linge à vaisselle à la main, le visage défait.

— Qu'est-ce qui se passe? ai-je demandé, de plus en plus nerveux.

— T'as rien vu? a crié Anthony en pointant le ciel à l'ouest.

J'ai levé les yeux pour voir un filet de fumée grisâtre s'élever au-dessus de Saint-Hector. Je n'y avais pas prêté attention. Il n'est pas rare que les gens brûlent des déchets ou des feuilles mortes dans le coin, il n'y avait pas de quoi paniquer.

— La fumée?

— Un feu, Will… La maison des Potvin a passé au feu, m'a annoncé ma mère.

Ça m'a pris quelques secondes avant de faire le lien dans ma tête. J'ai regardé Gab, puis Anthony, puis Gabrielle de nouveau en secouant la tête. En luttant contre la boule qui venait de se former dans ma gorge, j'ai réussi à articuler :

— Sarah… ?

De la tête, Anthony m'a fait signe que non en baissant les yeux, tandis que Gabrielle éclatait en sanglots.

J'ai rêvé d'incendies. D'ombres macabres. De Sarah. Ma nuit a été hantée par des images violentes de choses que je ne comprenais pas. Et toujours, quelque part au loin, le visage de Marianne.

J'étais debout aux aurores ce dimanche-là. Tant qu'à subir un sommeil agité, j'ai préféré me lever et affronter cette journée qui s'annonçait pénible. Une autre. Je commençais à avoir hâte que l'année scolaire se termine pour m'éloigner d'Anna Caritas et de tous ceux et celles qui la peuplent. Les pensionnaires déserteraient enfin Saint-Hector et je pourrais passer mon été en paix, sans me soucier de qui que ce soit.

Les nouvelles étaient arrivées par téléphone, tard dans la soirée. Sarah n'avait pas péri dans l'incendie qui avait ravagé sa maison. Elle était gravement brûlée et reposait dans un état critique à l'hôpital. Selon Gabrielle, ils étaient censés la transférer dans un centre spécialisé dans la métropole aussitôt que son état se serait stabilisé. Une chose était certaine : Sarah ne serait plus jamais la même.

La chaleur et l'humidité de la veille avaient installé un ciel lourd au-dessus de Saint-Hector. La pluie tombait par intermittence, donnant un air de deuil à la ville. Installé à la petite table de la cuisine, j'ai fait bouillir de l'eau pour me concocter un chocolat chaud pendant que mes petites sœurs mangeaient leur bol de céréales devant la télé, dans le salon. J'avais la tête lourde, douloureuse. On aurait dit que quelque chose se trouvait à l'intérieur de mon crâne et poussait de chaque côté de mes tempes dans l'espoir de le fendre en deux. Dans un geste qui m'a rappelé ma mère, j'ai avalé deux cachets en vitesse au-dessus de l'évier. Tuer la migraine. Espérer que ça passe.

J'ai eu envie de texter Marianne et j'ai réalisé que je n'avais pas son numéro de téléphone. Je ne savais même pas si elle possédait un cellulaire. Si tel était le cas, je ne l'avais jamais vue l'utiliser. Je me suis donc contenté de regarder la pluie peindre la fenêtre de la cuisine en repensant au manoir des Roberts. J'imaginais Marianne, vivant en solitaire au milieu de cet immense domaine. Elle devait se sentir terriblement seule là-bas. Il y avait eu tellement de rumeurs et d'histoires à son sujet que je ne m'étais jamais arrêté pour songer à comment ce devait être dur pour elle d'avoir perdu son père. La veille, en essayant de trouver le sommeil, toutes les questions que j'aurais dû lui poser m'étaient venues en tête. Comment étaient-ils morts ? Pourquoi ? Qui les avait retrouvés ? Où avait-elle passé ces deux dernières années ? Trop de questions qui demeuraient sans réponse. Et je n'aurais sans doute plus jamais l'occasion de l'interroger à ce sujet.

Je me suis défoulé dans le ménage, à la grande surprise de ma mère qui doit habituellement se battre avec moi pour que je range ma chambre. J'avais besoin de penser à autre chose, d'oublier les dernières semaines, horribles, qui venaient d'assombrir ma deuxième année de secondaire. J'ai fait la lessive, de façon mécanique. J'ai nettoyé ma chambre, changé les draps, rangé mes affaires. Dans un effort suprême pour me changer les idées, j'ai lavé le sous-sol de fond en comble. Je suis même allé jusqu'à passer la balayeuse sur le vieux sofa, devant l'expression ahurie de ma mère.

Au début de l'après-midi, après m'être forcé à avaler un bol de la soupe que maman avait préparée pour mes sœurs et moi, je me suis réfugié dans ma chambre nouvellement impeccable pour fixer le plafond au-dessus de mon lit. J'étais sur le point de me laisser aller au sommeil quand j'ai entendu mon téléphone vibrer sur ma table de chevet. Je me suis étiré pour l'attraper. C'était Anthony qui venait de me texter.

ON EST DEVANT TA MAISON.

Je me suis tiré du lit à contrecœur pour aller regarder la rue par la fenêtre de ma chambre. En bas, Anthony et Gabrielle faisaient les cent pas sur le trottoir. J'ai agrippé ma veste à capuchon et j'ai dévalé l'escalier pour aller les rejoindre en criant à ma mère que je reviendrais pour le souper.

Dehors, la pluie avait cessé, mais le temps était toujours gris, humide et froid, comme si le chaud soleil de la veille n'avait jamais existé. En voyant le sac de sport que traînait Anthony, j'ai tout de suite su où nous allions.

J'ai attrapé la main tendue de mon meilleur ami qui m'a attiré contre lui pour me faire une accolade bien sentie. J'ai pris Gab dans mes bras. Elle avait l'air mieux que la veille, mais les cernes qu'elle affichait me confirmaient que sa nuit avait été aussi pénible que la mienne, sinon plus. Nous avons marché le long de l'Avenue pour aller emprunter le petit chemin asphalté qui s'ouvre entre deux maisons au bout de la rue. Celui-ci nous a menés directement au parc.

Nous l'appelions « le parc », mais ça ressemble davantage à un immense terrain vague gazonné. Quelques arbres, un vieux module de jeu qui doit dater des années 1980 et, à l'extrémité est, le terrain de baseball. Nous avons l'habitude de nous rendre là durant l'hiver. L'endroit est toujours désert et nous y retrouvons un semblant de paix.

En avançant vers les estrades sur la pelouse détrempée, j'ai demandé à Anthony :

— T'es pas à ton tournoi, toi ?

— On s'est pas qualifiés… Avec Maddox qui nous a sacrés là, fallait s'y attendre. C'était notre meilleur serveur. Au moins, avec ce qui est arrivé hier, on dirait que mes parents ont comme oublié que j'étais en punition. Je leur ai pas rappelé !

J'ai laissé sortir un juron lorsque j'ai vu qu'il y avait déjà quelqu'un sur les estrades. En nous approchant, j'ai constaté qu'il s'agissait de Sabrina. Je ne l'avais pas reconnue, sur le coup. Si je l'avais trouvée transformée à son retour à l'école, sa métamorphose s'avérait plus choquante en dehors d'Anna Caritas. Elle qui s'était toujours fait un point d'honneur de soigner son apparence avait décidément choisi de s'en foutre carrément. Elle avait revêtu un vieux jeans ample et un chandail en coton ouaté gris beaucoup trop grand pour elle. Elle avait réussi à attacher ses cheveux et avait enfoncé une casquette noire sur sa tête. Elle nous attendait, les bras croisés sur ses genoux.

— Salut William, m'a-t-elle dit en me souriant tristement avant de saluer les autres.

Gabrielle a grimpé les estrades pour aller enlacer son amie en lui frottant le dos vigoureusement. Anthony a déposé son sac de sport et a commencé à nous distribuer les couvertures en lainage qu'il contenait. Nous nous sommes installés une marche plus bas, face aux filles, pendant que Gabrielle sortait un long thermos de son sac pour nous servir un thé chaud aux fruits dans les petites tasses de plastique qu'elle avait apportées avec elle. Pendant un instant, je me suis senti bien. Ça m'a rappelé le temps des fêtes, quand nous venons pour boire du chocolat chaud et chialer contre l'école, contre nos parents, contre n'importe quoi.

Puis les paroles de Marianne me sont revenues en tête. « Tiens-toi loin, Walker. » Comment respecter ma promesse alors que je n'avais personne d'autre ? Tant et aussi longtemps qu'Anthony demeurerait mon meilleur ami et que Gabrielle serait dans ma vie, Sabrina serait là. Je n'avais pas envie de m'éloigner d'eux. Et même si cette nouvelle Sabrina m'effrayait presque plus que l'ancienne, je ne pouvais m'empêcher de me faire du souci pour elle. Plus les jours avançaient et plus elle semblait aller mal.

— Ça va pas mieux, chez vous ? lui a demandé Gabrielle.

Sab a haussé les épaules en secouant la tête.

— Mes parents pensent que j'suis folle pis suicidaire. Y me parlent comme si j'étais retardée. Y voient ben qu'il se passe quelque chose de pas normal chez nous, mais y font semblant de rien. Mon psy, lui, tout ce qu'y veut faire, c'est augmenter la dose de mes maudites pilules. Ça rend *vedge*, ces affaires-là. Au moins, je réussis à dormir un peu…

Nous avons bu notre thé en silence. Avoir su que ce serait aussi déprimant, je serais resté chez moi à somnoler. Je comprenais pourquoi Sabrina était maussade, seulement, j'avais envie de me changer les idées. De passer un bon moment avec mes amis. Pas de rester assis en rond à ne rien dire en s'enfonçant dans la dépression, même si nous étions tous sous le choc de l'incendie de la maison des Potvin et que nous nous remettions à peine du décès de Laurie.

— Will, tu dis rien ? m'a lancé Anthony, un sourire en coin.

— Qu'est-ce que tu veux que je dise ?

— *Come on !* OK, c'était pas le moment de te le demander hier, mais… Marianne Roberts ?

Sabrina a sursauté lorsqu'elle a entendu Anthony prononcer le nom de Marianne. Son expression triste s'est transformée. Elle avait l'air contrariée.

— Quoi ? ai-je lancé.

— Ben là ! a rajouté Gabrielle. Qu'est-ce que tu faisais avec elle ? Dans son auto, en plus ?

— Rien de spécial… On a juste passé l'après-midi ensemble.

— Tu dis ça comme si c'était normal ! a raillé Sabrina, presque dégoûtée par mon affirmation.

J'ai pris une grande respiration. Ma mère m'a toujours dit de tourner ma langue sept fois avant de parler.

— Elle est vraiment pas comme vous pensez. Sab, tu devrais être la première à savoir que c'est pas parce que tout le monde à Caritas dit quelque chose que c'est vrai !

— Voyons, Will, pogne pas les nerfs ! m'a dit Anthony.

— Marianne gardait souvent mes sœurs avant... avant qu'elle s'en aille. C'est pour ça que je la connais. Ça a jamais été mon amie, là. Juste une connaissance. Pis vendredi, ben... euh... j'ai été lui parler.

— Toi ? William Walker ? Tu as fait les premiers pas avec une fille ? J'te crois pas ! s'est exclamé Anthony en rigolant.

— Va chier, *man* ! C'est pas comme ça... J'pensais qu'elle pourrait nous aider... aider Sab.

— Es-tu malade dans tête ? s'est-elle exclamée. J'veux pas de son aide à *elle* !

— Ben tant mieux, parce qu'elle t'aidera pas non plus ! T'es contente ?

Gabrielle s'est redressée d'un coup, comme frappée par la foudre. Elle a déposé sa tasse sur l'estrade à côté d'elle en se penchant vers moi.

— Attends. Qu'est-ce que tu veux dire, « nous aider » ?

— Nous aider à nous débarrasser de ce qu'on a invoqué chez Sab pis qui est en train de nous éliminer les uns après les autres...

— Tu penses que..., a commencé Gabrielle avant de se faire interrompre par Anthony.

— Franchement, *dude* ! T'es vraiment prêt à croire n'importe quoi !

— Regarde les choses en face ! Laurie, Sarah, Maddox, Sabrina… c'est qui les prochains, tu penses ? Y s'passe quelque chose ! J'suis pas fou, quand même.

Sabrina s'est mise à sangloter. Je ne pouvais pas m'empêcher d'être en colère contre l'attitude de mon meilleur ami. Je savais qu'il ne voulait pas croire à ce genre de chose, mais après l'incendie, je refusais de croire que tous ces incidents étaient une simple coïncidence. Cette *chose* qu'on avait fait venir à l'aide du **OUIJA** nous en voulait. Nous étions les prochains sur sa liste, et les avertissements de Marianne n'avaient fait qu'aggraver mon mauvais pressentiment.

— *Come on*, Will…, a tenté Anthony.

— Tu penses que ça veut me tuer ? m'a demandé Sabrina entre deux hoquets, le visage inondé de larmes.

— Je sais pas, Sab. Mais si ça hante encore ta maison, c'est pas près de laisser tomber. Y doit y avoir un moyen…

Gabrielle m'a donné un petit coup sur le genou en me faisant signe de regarder derrière moi. Je me suis retourné pour constater que Marianne Roberts marchait vers nous. Elle avait laissé ses cheveux tomber sur ses épaules et n'avait pas maquillé son visage comme à son habitude. Elle portait une camisole noire sous sa veste en jeans et le vent faisait voler sa longue jupe noire dans tous les sens. Nous l'avons observée tandis qu'elle se dirigeait vers les estrades dans un silence absolu. Seuls les reniflements de Sabrina se faisaient entendre. Lorsque

Marianne s'est arrêtée devant nous, je me suis levé pour aller l'accueillir.

— Tu peux rester assis, Walker. J'en ai pas pour longtemps…

J'ai été troublé par sa façon de me regarder, de s'adresser à moi comme s'il ne s'était rien passé entre nous la veille. J'ai reculé d'un pas et je me suis assis sur la première marche de l'estrade.

— William m'a raconté ce qui s'est passé, ce que vous avez fait. Il m'a demandé de vous aider. J'ai refusé… pour différentes raisons. Mais avec ce qui est arrivé à votre amie Sarah hier, j'ai beaucoup réfléchi… et si vous voulez toujours de mon aide, je suis prête à essayer. Tout ce que je vous demande, c'est de rester discrets… J'ai déjà la moitié de la ville sur le dos, j'ai pas envie d'empirer ma situation.

Je me suis retourné vers les trois autres qui s'échangeaient des regards incertains. Anthony a croisé les bras, l'air renfrogné, mais Sabrina s'est levée et elle est lentement descendue vers Marianne, les yeux remplis de haine.

— Qu'est-ce qui nous dit que tu peux vraiment nous aider ?

— T'as peur. J'peux comprendre ça. Si tu veux pas de mon aide, j'insisterai pas. Mais j'peux te garantir que ça ira pas en s'améliorant.

Marianne a soutenu le regard défiant de Sabrina quelques secondes avant de faire demi-tour et de commencer à marcher. J'étais sur le point de perdre patience contre Sabrina lorsque Gabrielle s'est levée à son tour pour l'interpeller.

— Marianne, attends!

Marianne s'est arrêtée et a tourné la tête dans notre direction. Gabrielle a semblé décontenancée sur le moment. Puis elle a fini par dire :

— On accepte! On accepte ta proposition! On n'y arrivera pas tout seuls.

Marianne Roberts a hoché la tête. L'instant d'un éclair, j'ai cru voir un petit sourire de satisfaction se dessiner sur ses lèvres. Elle a poursuivi son chemin pour disparaître du parc aussi rapidement qu'elle y était arrivée.

— On devrait pas la mêler à ça, a soutenu Anthony du bout des lèvres.

— As-tu une meilleure idée? lui a répondu Gabrielle.

— Non.

— Si William lui fait confiance, moi aussi.

— J'aime pas ça…, a murmuré Sabrina.

— Y'est trop tard maintenant. On n'a pas le choix.

III

AUSPICIUM

ONZE

Gabrielle s'est redressée en hurlant de terreur. Son cri a envahi toute la classe. Tout le monde, sans exception, a sursauté et s'est tourné vers elle pour voir ce qui avait pu causer pareille réaction. Madame Valois a levé son nez de son livre, agacée.

— Mademoiselle Vanier, êtes-vous souffrante ?

Gabrielle avait l'air désorientée, comme si elle ne savait plus où elle était. J'ai lancé un coup d'œil à Anthony qui a secoué la tête en signe d'incompréhension. Elle a scruté la salle de cours, paniquée, avant de répondre à madame Valois, notre professeure de français, qui continuait de la dévisager.

— Non, non, madame Valois. Je m'excuse. Est-ce que je peux aller aux toilettes, s'il vous plaît ?

Notre enseignante a hoché la tête avant de retourner à son bouquin sans autre cérémonie. Gabrielle s'est levée et s'est précipitée hors de la classe.

Je suis retourné à ma feuille, incapable de répondre à la moindre question sur le texte que je venais de lire. Plusieurs minutes plus tard, lorsque Gab a fini par revenir dans la classe, elle s'est dirigée tout droit vers son pupitre sans regarder dans ma direction ni dans celle d'Anthony.

La cloche a sonné, annonçant la fin de la période et, par le fait même, le début de l'heure du dîner. J'ai gribouillé mon nom sur mon questionnaire, conscient que j'allais échouer lamentablement… encore. Depuis quelque temps, je ne réussissais pas à me concentrer en classe. Tout était flou et je n'arrivais jamais à me souvenir de quoi que ce soit. Je manquais de sommeil. Je manquais de motivation. Mes pensées étaient uniquement dirigées vers les événements des dernières semaines, impossible de me concentrer sur autre chose.

+ + +

Ma mère se doutait que je n'allais pas bien. La veille, pendant que je débarrassais la table après le souper, elle avait essayé de me questionner.

— Ça a pas l'air de filer, toi. C'est encore à cause de ce qui est arrivé à votre soirée, l'autre jour ?

— Non… C'est rien… juste des niaiseries à l'école.

Elle m'avait alors disséqué avec un regard curieux.

J'ai beau essayer de toutes mes forces, je n'ai jamais réussi à mentir à ma mère. Aussitôt qu'elle plonge ses yeux dans les miens, la vérité ressort d'instinct. Je suis incapable de l'empêcher de me la soutirer. Ce soir-là, j'avais tenté, en vain, d'éviter de la regarder en face, mais elle avait insisté. Elle avait posé une main sur le comptoir de la cuisine, l'autre sur sa hanche.

— William Walker, regarde-moi quand je te parle ! Qu'est-ce qui se passe avec toi ?

— C'est compliqué, tu pourrais pas comprendre...

— *Please !* J'en ai vu d'autres ! Tu oublies, on dirait, que j'ai déjà eu ton âge, moi aussi ! J'ai l'impression que tu me caches quelque chose, pis j'aime pas ça. Ça te ressemble pas.

Il fut un temps, quand j'étais plus jeune, où je pouvais tout dire à ma mère. Elle m'écoutait toujours avec attention et me conseillait du mieux qu'elle pouvait. De son côté, elle me consultait souvent avant de prendre des décisions importantes ou pour avoir mon avis sur sa façon d'agir avec Odile et Lily-Anne. Je sentais que c'était sa manière de combler l'absence de mon père, de me responsabiliser et de me montrer qu'elle me faisait confiance. Nous avons toujours eu une relation complice, elle et moi, même si ça a parfois créé des conflits entre nous. Or, plus je vieillis, plus j'ai le sentiment qu'elle cherche à contrôler mes agissements. Ses conseils se sont métamorphosés en jugements. Ses avis, en avertissements. Ses suggestions, en ordres.

— Regarde-moi pas comme ça, on jurerait ton père !

Toujours la même chose. Si j'ose la défier, je suis soudainement le portrait tout craché de l'homme qui nous a abandonnés. Si je dis comme elle, alors là, elle crie haut et fort que je suis une copie conforme d'elle. Il n'y a pas de juste milieu.

— C'est la Roberts qui te rend comme ça ? C'est ça ?

— Franchement, m'man ! Pour qui tu me prends ?

— T'es trop jeune pour commencer à perdre la tête à cause d'une fille… surtout celle-là.

— Tu l'aimais bien, pourtant, quand elle te démerdait toutes les semaines en venant nous garder ! J'vois pas pourquoi tout d'un coup tu parles d'elle de même !

Son visage avait changé d'expression. On aurait dit qu'elle avait oublié cette époque-là. Je pouvais comprendre. À peine deux années avaient suffi pour que Saint-Hector au grand complet démonise Marianne. Tous ceux qui avaient fini par se faire une fierté d'habiter la même ville que le grand John Roberts tremblaient désormais à la moindre évocation de son nom. Inévitablement, ça a avait fini par arriver aux oreilles de ma mère.

— J'aime pas ça, que tu traînes avec cette fille-là ! Y a quelque chose qui cloche chez elle, quelque chose de pas catholique.

— Depuis quand tu es croyante, toi ?

— Change pas de sujet ! Je l'vois ben qu'y a de quoi qui te tracasse.

J'avais laissé tomber la pile d'assiettes sales dans l'évier de la cuisine avec fracas en tentant de garder mon calme. Un éclat de colère ne lui aurait que fourni davantage de munitions contre moi. Des plans pour que je me retrouve en punition comme Anthony l'avait été. Même si ma mère ne croit pas en ces méthodes de discipline, elle ne tolère pas l'arrogance.

Je l'avais défiée du regard. C'est la première fois que je réalisais que j'étais presque de la même grandeur qu'elle.

— J'ai vu Justin Chen se laisser tomber du toit de l'école. J'ai vu Laurie McLean se faire frapper par un char pis mourir. J'ai vu Sabrina Viau essayer de se tuer devant mes yeux. Sarah Potvin est à l'hôpital, quelque part entre la vie pis la mort, brûlée au troisième degré. J'suis fatigué… pis j'dors mal. BEN OUI MAMAN, Y A QUELQUE CHOSE QUI ME TRACASSE !

J'avais lancé le linge à vaisselle que j'avais sur l'épaule de toutes mes forces sur le comptoir et j'étais monté dans ma chambre en claquant la porte, abandonnant ma mère à son air interloqué.

✚ ✚ ✚

Madame Valois était toujours plongée dans sa lecture. Je suis allé déposer mon examen sur son bureau. Elle l'a jaugé rapidement avant de me dévisager avec amertume. Je me suis forcé pour lui faire le sourire le plus baveux du monde et je suis allé rejoindre Anthony qui m'attendait près de la porte. Nous avons attendu que Gabrielle, de retour à son pupitre, finisse de ranger ses affaires dans son sac. Elle affichait toujours cette expression étrange, comme si elle était en état de choc.

Lorsqu'elle est arrivée à nos côtés, Anthony lui a fait une petite accolade réconfortante dont elle s'est aussitôt défaite d'un geste brusque. Il a froncé les sourcils dans ma direction, clairement irrité par la réaction de sa petite amie.

Depuis le week-end, j'avais pu constater une certaine tension entre les deux. Si Gabrielle partageait mon envie de venir en aide à Sab, Anthony, lui, ne manquait pas une occasion de s'en plaindre. Il nous trouvait ridicules et s'entêtait à affirmer que demander de l'aide à Marianne Roberts ne ferait que renforcer les fabulations de Sabrina. Il m'avait avoué que, oui, il avait eu la frousse lui aussi, que plus jamais il ne voudrait jouer avec une planche de **OUIJA.** Mais il persistait à croire que tout le reste était le résultat d'une coïncidence. « Une mauvaise *joke* du destin », avait-il dit.

Gabrielle lui en voulait. Elle déplorait qu'il ne la prenne pas au sérieux et qu'il se moque d'elle chaque fois qu'elle se permettait de lui confier ses craintes. Plus les jours passaient, plus Sabrina paraissait affligée. À un point tel que même les élèves d'Anna Caritas avaient cessé de s'en prendre à elle. Les chuchotements s'étaient tus pour laisser place à l'effroi. Les élèves s'écartaient sur son passage et évitaient de la regarder, comme si elle était susceptible de les changer en pierre.

Gabrielle, de son côté, gagnait en assurance. Sa consternation devant les événements semblait avoir réveillé une force que je n'avais jamais décelée chez elle auparavant. Certes, elle maigrissait à vue d'œil et les cernes qui creusaient son visage s'assombrissaient de plus en plus chaque jour, mais son attitude avait changé. Elle marchait désormais avec une dégaine de super assassine, les yeux alertes, prête à foudroyer la première ombre qui oserait l'attaquer. En quelques semaines à peine, Gabrielle Vanier s'était transformée.

Anthony m'a tendu son poing fermé que j'ai percuté avec le mien. Il avait la mine déconfite.

— Je vous rejoins plus tard, OK ? qu'il nous a dit. J'ai rendez-vous avec Béchard.

J'ai suivi Gabrielle vers le deuxième étage tandis que mon ami prenait la direction opposée pour se rendre au gymnase, dont l'entrée se situe dans l'aile est, près de la bibliothèque.

— Es-tu correcte ? ai-je osé pendant que nous grimpions les marches.

— Je m'étais endormie…

Gabrielle a hâté le pas. Elle avait l'air d'essayer de me semer. Arrivé à l'étage, je lui ai agrippé le coude en la rattrapant. Elle s'est retournée vers moi, le regard distant.

— C'est correct, Will. Oublie ça, OK ? Des fois je rêve pis... Je me suis endormie pendant le cours et j'ai juste fait un rêve bizarre, c'est tout. C'est rien.

— Pour hurler de même, ça devait être un méchant cauchemar !

— Pose pas de questions, OK ? Laisse tomber... ça vaut mieux.

J'aurais dû insister, lui tirer les vers du nez. Mais Gabrielle a toujours eu cette façon de me regarder qui me cloue sur place. J'ai décidé de ne rien ajouter et de respecter sa décision de ne pas m'en parler, en espérant qu'un jour, peut-être, elle finirait par se confier à moi.

Je l'ai laissée filer vers son casier pour aller rejoindre le mien. J'y ai rangé mes cahiers et mon sac et j'ai attrapé le sac de papier brun dans lequel se trouvait mon lunch. Il pleuvait à boire debout à l'extérieur, pour la quatrième journée d'affilée. Comme nous détestions aller à la cafétéria, nous nous retrouvions toujours au quatrième étage quand il pleuvait, dans l'aile nord, au croisement des deux corridors, près des laboratoires de sciences naturelles. L'endroit était toujours désert pendant l'heure du dîner. Nous nous installions sur le rebord de la grande fenêtre avec vue sur la maison des religieuses pour y manger en paix, loin des autres élèves.

J'ai fermé la porte de mon casier et j'ai fait le saut en apercevant Sabrina à quelques centimètres de moi.

— Salut William, a-t-elle dit froidement.

Quelque chose dans sa manière de se tenir tout près de moi, avec son expression froide, me rendait mal à l'aise. Elle ne s'était pas présentée en classe la veille, et nous avions fini par conclure qu'elle ne se pointerait pas non plus le matin même quand nous avions constaté qu'elle n'était toujours pas arrivée quelques minutes avant la première période.

— Salut… ça va ? On t'a attendue ce matin.

— J'avais un rendez-vous à la clinique. Y m'ont fait passer plein de tests niaiseux. Le docteur a dit à mes parents qu'il pense que je fais une mononucléose. Hmmph ! N'importe quoi !

— C'est pour ça que t'étais pas là hier ?

— Genre…

Gabrielle est apparue derrière Sabrina et l'a tout de suite prise dans ses bras. Celle-ci est restée plantée là, les bras ballants, comme si elle était en train de recevoir un câlin d'une pure inconnue.

— Toi, là ! a lancé Gabrielle. J'ai hâte que tu retrouves ton cell parce que j'commençais à m'inquiéter !

— Mes parents veulent rien savoir, tu sais ben. Y aiment mieux croire que j'suis une irresponsable pis que j'suis « pas assez mature pour comprendre la valeur des choses ». Deux caves !

Gabrielle m'a lorgné rapidement. Apparemment, elle était aussi décontenancée que moi par le comportement de Sabrina. Même sa façon de parler était déstabilisante… Sa voix était feutrée et plus grave que d'habitude. Elle formulait ses phrases presque sans intonation, avec détachement.

Nous nous sommes rendus au dernier étage sous les regards hautains des élèves qui nous croisaient. Sabrina marchait repliée sur elle-même en les ignorant. Elle n'avait même pas l'air de les remarquer. En arrivant au quatrième, Gabrielle a enroulé ses mains autour du bras de Sabrina en continuant d'avancer dans le corridor. Elle me lançait des coups d'œil furtifs pour confirmer que nous avions la même impression. C'était lourd. Je me consolais en me répétant qu'il ne restait qu'une journée d'école avant que la fin de semaine arrive. Avec un peu de chance, j'allais peut-être réussir à passer mon samedi à me prélasser dans mon lit et à oublier un peu la situation dans laquelle j'étais plongé.

En tournant le coin du corridor, la première chose que j'ai vue était Marianne, assise sur le rebord de notre fenêtre les jambes croisées. Elle avait remonté ses cheveux dans un chignon désordonné au-dessus de sa tête, dévoilant son long cou blanc élancé. Ses yeux crayonnés ont croisé les miens pendant une fraction de seconde, et un sourire s'est dessiné sur ses lèvres.

— Vous êtes tellement prévisibles, a-t-elle affirmé. C'est presque épeurant !

Je ne l'avais pas revue depuis le dimanche, au parc. J'avais beau sonder les corridors de l'école, je ne la voyais jamais nulle part. C'était comme si, après ses cours, elle disparaissait d'Anna Caritas pour ne réapparaître qu'au son de la cloche. Si elle avait été dans la même année que nous, j'aurais au moins eu une petite idée de son horaire et j'aurais su où la trouver.

Elle a sauté par terre pour venir à notre rencontre, le claquement de ses bottes sur le sol résonnant dans le corridor vide. Elle a posé ses mains sur les épaules de Sabrina en penchant la tête pour la regarder dans les yeux.

— Laisse-le pas gagner, Viau. Je l'sais que c'est *rough*, mais c'est exactement ça qu'il veut… que tu te laisses abattre.

— De qui tu parles ? a demandé Gabrielle.

Marianne s'est redressée nonchalamment pour la toiser.

— L'esprit. Le démon. L'entité. La chose qui hante sa maison… Je sais pas encore ce que c'est. Mais on va le savoir ben assez vite.

Gab l'a défiée du regard tandis que Marianne continuait de lui sourire amicalement. Sabrina a levé la tête vers elle, les yeux suppliants.

— Comment ?

— C'est quand, la prochaine fois que tes parents vont te laisser toute seule ?

Sabrina a pris un moment pour assimiler la question, comme si elle n'en comprenait pas le sens. Elle a haussé les épaules.

— Demain soir, je pense… Y ont une réunion du CA de l'école. Mais ça dure juste une couple d'heures…

— OK. C'est bon, ça. Aussitôt qu'ils sont partis, tu appelles Gabrielle sur son cell. On va être là dans les minutes qui suivent.

— Pour quoi faire ? a répliqué Sabrina, soudainement paniquée.

— On verra rendu là, Viau. Ça sert à rien de t'en faire tout de suite, OK ? Fais-moi confiance.

Elle a reculé d'un pas en relevant le menton de Sabrina avec ses doigts. Au même moment, Anthony et Maddox ont fait irruption à l'autre bout du corridor. Marianne les a fixés un bref instant avant de faire dévier son regard vers moi.

— À demain, Walker !

Elle a tourné les talons puis est disparue au bout du corridor, à l'opposé de Maddox et Anthony. Ceux-ci ont accouru vers nous alors que nous prenions place sur le rebord de la fenêtre. Sabrina a préféré s'écrouler par terre, adossée au mur, en fouillant dans son sac pour trouver sa bouteille d'eau.

— Qu'est-ce qui se passe ? m'a demandé Anthony, curieux.

— Je te conterai ça tantôt, que je lui ai répondu, n'osant rien dire de compromettant devant Maddox.

Celui-ci avait l'air horrifié. Il m'a dévisagé longuement en secouant la tête. On aurait dit qu'il avait envie de se mettre à crier contre moi, mais qu'il y avait trop de choses qui voulaient sortir en même temps de sa bouche. Il a étudié attentivement le coin du corridor où Marianne venait de disparaître et, au bout d'un moment, il a fulminé à voix basse :

— Non, mais, vous êtes pas ben dans vos têtes, ou quoi ? Qu'est-ce que vous faites à parler avec *elle* ?

— On a ben l'droit de parler à qui on veut, Chose ! ai-je dit en sentant la colère monter en moi.

— Vous devriez pas lui adresser la parole ! Est dangereuse !

— Les nerfs, Gauvin ! Faut pas croire tout ce qui circule dans l'école ! a dit Anthony avec un petit rire condescendant, en donnant une tape sur l'épaule de Maddox.

Dans un éclat de rage, ce dernier l'a agrippé par le collet de sa chemise et l'a étampé contre la fenêtre violemment. Gabrielle s'est aussitôt levée pour s'interposer, mais Maddox a levé une main dans sa direction sans la regarder, en continuant de presser Anthony contre le verre. D'une voix presque inaudible, il a articulé entre ses dents :

— T'en entends de toutes les couleurs quand t'es pensionnaire ici… Fie-toi sur moi, mon *chum*, t'as pas le goût de te frotter à Marianne Roberts ! C'est un paquet de trouble, c'te fille-là !

Une fois le choc dissipé, Anthony a réussi à repousser Maddox avec force. Il n'a pas eu l'air d'apprécier la petite agression de son coéquipier et s'est fait juste assez menaçant pour que celui-ci recule.

— T'es *fuckin'* parano, Gauvin ! C'est quoi, ton problème ?

— J'te le jure, *man*… Si je te vois encore avec *elle*, j'te fais mettre en dehors de l'équipe !

— Pour ça, faudrait qu'tu sois encore dans l'équipe, gros épais !

Maddox a continué de reculer, même si Anthony s'était immobilisé. Avant d'arriver à la croisée des corridors, il a secoué la tête une nouvelle fois, visiblement atterré par la conduite d'Anthony.

— Tu sais pas à quoi tu t'attaques, *man* ! s'est écrié Maddox. Fais donc ce que tu veux ! Je t'aurai prévenu…

Puis il est parti en courant.

DOUZE

Je m'étais juré de ne plus jamais remettre les pieds dans cette maison. Pourtant, je me trouvais là, à deux coins de rue de la demeure des Viau, dans la vieille voiture brune de Marianne… J'avais la nausée, comme si mon corps essayait de me convaincre de ne pas y aller.

Assise sur la banquette arrière, Gabrielle consultait son téléphone toutes les trente secondes pour être bien certaine qu'elle n'avait pas manqué l'appel de Sabrina. Marianne, elle, s'était installée sur le siège avant, le dos contre la portière, les jambes allongées l'une sur l'autre. Ses bottes touchaient presque à mon jeans, mais je n'osais pas lui montrer que ça me gênait. Elle s'amusait avec sa bouteille d'eau, la faisant tourner dans tous les sens.

Anthony m'avait texté plus tôt pour me dire qu'il ne pouvait pas être des nôtres. Ses parents recevaient de la famille pour le souper et lui avaient formellement interdit de s'absenter. Je le soupçonnais d'avoir inventé cette excuse ridicule afin de ne pas venir avec nous. Peut-être était-ce vrai que ses parents avaient de la visite, mais sa mère préférait généralement ne pas l'avoir dans les pattes dans ces moments-là, et jamais elle ne se serait offusquée que son fils veuille passer la soirée avec ses amis plutôt qu'avec ses petites cousines.

Je me doutais qu'il avait encore son altercation avec Maddox Gauvin à l'esprit et que, malgré tout, ses paroles s'étaient immiscées dans ses pensées.

Je ne savais pas à quoi Maddox avait bien pu faire allusion en affirmant qu'il avait entendu des choses au sujet de Marianne lorsqu'il était pensionnaire, mais peu m'importait. Ce devait être un autre tissu de mensonges, pareil à ceux qui avaient incité ma mère à me mettre en garde contre elle. Je maudissais cette ville ignare dans laquelle j'avais grandi. Je lui en voulais d'être centrée sur elle-même, trop minuscule pour s'ouvrir à quoi que ce soit d'un peu hors norme. Je chérissais en secret le jour où je terminerais mes études à Anna Caritas pour fuir Saint-Hector à tout jamais. Aller au cégep en ville, à des kilomètres de ces rues devenues trop familières et de ceux qui y habitaient.

Le soleil commençait à descendre rapidement vers l'horizon lorsque le téléphone de Gabrielle s'est enfin manifesté. Sabrina nous a donné le feu vert et aussitôt, Marianne a mis le moteur en marche. À peine quelques minutes plus tard, elle stationnait la voiture au coin de la rue, préférant ne pas se garer directement devant la maison par précaution. Nous nous sommes dirigés d'un pas rapide vers la demeure des Viau sous le ciel nuageux qui virait au rose. Sabrina nous attendait dans le cadre de la porte d'entrée en scrutant les alentours nerveusement.

— T'aurais pas pu t'habiller autrement ? a reproché Sabrina à Marianne. On te reconnaît à des kilomètres à la ronde !

Marianne était pourtant habillée de façon assez neutre, ayant troqué ses robes et ses jupes pour un jeans et une camisole noire par-dessus laquelle elle avait enfilé une veste de coton, noire également. Elle avait effacé toute trace de maquillage sur son visage et avait attaché ses cheveux simplement. Gab et moi, sans nous être consultés d'avance, avions aussi opté pour la même couleur. Personne n'aurait pu nous distinguer précisément sans nous connaître, du moins pas dans ce coin de Saint-Hector.

Sabrina a refermé la porte d'entrée avec hâte en nous observant d'un air irrité. Marianne n'a pas semblé offusquée, ni même intéressée par son commentaire. Elle s'est contentée de rester immobile dans l'entrée de la maison et d'examiner les lieux.

J'ai senti mon estomac se nouer à la vue de l'escalier recouvert de tapis. Toute cette soirée m'est revenue en flash sans que je puisse y faire quoi que ce soit. Ça me semblait si récent dans ma tête, et pourtant, ça faisait déjà quelques semaines. Laurie s'était tenue à l'endroit précis où je me trouvais, vivante et en colère, quelques instants avant de courir vers sa mort.

J'ai frissonné. Gabrielle m'a attrapé le bras en le serrant doucement. Elle paraissait aussi préoccupée que moi par son retour dans la maison. Si la température extérieure m'avait paru chaude, humide et insupportable, la maison des Viau semblait froide et l'air y était sec. La lumière qui entrait par les fenêtres plongeait la demeure dans un éclairage bleuté lui donnant un air lugubre. En essayant de chasser le mauvais pressentiment qui m'assaillait, j'ai déclenché l'interrupteur afin d'illuminer l'entrée plus proprement.

Marianne s'est retournée subitement vers Sabrina qui était toujours adossée à la porte.

— Ça fait combien de temps que ça dure ?

Sabrina a simplement haussé les épaules, incapable de lui donner un laps de temps précis.

— C'est moins pire depuis les derniers jours…, a-t-elle fini par affirmer.

Nous avons suivi Sab jusqu'à la cuisine. J'ai pris soin d'allumer les lumières dans cette pièce-là aussi. Toute trace du pentacle inversé qui s'était trouvé sur le mur avait été effacée. Ils avaient dû plâtrer et repeindre. Marianne s'est automatiquement dirigée vers le mur. Elle a posé la paume de sa main en plein centre avant de la retirer brusquement en murmurant quelque chose d'incompréhensible. Elle s'est approchée lentement de l'îlot central sur lequel elle a déposé le gros sac en toile qu'elle traînait depuis la voiture.

— Tu as dit que tes parents avaient pris des photos, le soir où c'est arrivé… Je peux les voir ?

Sabrina a acquiescé et s'est mise à marcher vers le corridor.

— La planche aussi, a ajouté Marianne avant qu'elle ait le temps de quitter la pièce.

Sabrina s'est arrêtée pour lancer un regard hésitant dans notre direction. Nous l'avons entendue grimper les marches à toute vitesse. Bientôt ses pas ont résonné à l'étage. Gabrielle a attrapé un verre dans une armoire pour le remplir d'eau et l'a calé d'un coup.

— T'as pas l'air sûre, a-t-elle chuchoté à Marianne.

— J'aime pas ce que je ressens. J'ai jamais ressenti ça avant… Pas comme ça.

Sabrina est revenue dans la cuisine avec entre les mains l'horrible boîte noire sur laquelle elle avait déposé une pile de photos en couleurs. Elle a laissé tomber la boîte sur l'îlot d'un geste dégoûté.

Marianne a saisi les photos et s'est mise à les étudier. Quelques-unes montraient le symbole gravé à même le mur sous différents angles ; l'une d'elles mettait l'emphase sur le portrait de la famille Viau qui avait été poignardé au centre de l'étoile. Les autres clichés se concentraient sur les tours difformes de vaisselle, les ustensiles soigneusement disposés en spirale sur le plancher ainsi que les armoires béantes et vides. Une dernière photo avait été prise de la salle de bain à l'étage. Le miroir fracassé. Les traces de sang sur le carrelage.

— T'as vraiment aucun souvenir d'avoir fait ça? a demandé Marianne à Sab.

— Aucun. Je me rappelle même pas d'avoir texté Gab.

Marianne a tiré une des photos du lot et l'a déposée devant nous. Elle affichait l'étoile gravée sur le mur, prise de face. Marianne a posé le doigt sur le symbole.

— En sorcellerie, l'étoile peut avoir plusieurs significations. Ça dépend toujours de comment elle est dessinée et du nombre de branches qu'elle a. Ce qui devient plus complexe, c'est que le même signe peut être utilisé de plusieurs façons. Tout part de l'intention… Ce symbole-là, peu importe ce qu'il signifie, c'est jamais bon.

— Ça veut dire quoi? lui ai-je demandé.

— L'étoile peut vouloir dire plein de choses… comme ça peut juste être une étoile. En soi, un pentagramme a aucune connotation spécifique, à part celle qu'on lui donne. À l'endroit, généralement, c'est un signe d'élévation spirituelle. Inversé, c'est le contraire… ça pointe vers la terre. C'est le signe d'une manifestation physique… ou le déni du bien… Dans un cas comme dans l'autre, c'est contre nature. Inversé comme celui qui a été gravé dans le mur, ça peut représenter l'énergie négative. Encore là, le monde connaît tellement rien là-dedans que ça peut vouloir rien dire. C'est juste un symbole populaire. Le cinéma essaie de nous faire croire que c'est le symbole du diable, de la bête. C'est devenu une croyance tellement répandue que tout le monde a fini par l'adopter. Même mon père l'utilisait sur les pochettes de ses albums…

J'ai écouté Marianne avec le sentiment étrange de flotter au-dessus de mon corps, comme si j'étais sous hypnose. Elle a dit tout cela sans hésiter, d'une voix posée et claire. Comment savait-elle toutes ces choses ? Était-elle vraiment une sorcière ? Dans sa voiture, au milieu du ciné-parc abandonné, elle avait refusé de répondre à ma question, prétendant qu'elle n'aimait pas le terme. Pourtant, elle était là, dans la cuisine des Viau, en train de nous prouver sans l'ombre d'un doute qu'elle en savait beaucoup plus que ce qu'elle laissait paraître.

— Ça m'aide pas pantoute, ça ! s'est exclamée Sabrina, exaspérée.

Marianne l'a foudroyée du regard. Sabrina s'est excusée du bout des lèvres en reculant d'un pas. Elle a fouillé dans le frigo pour se prendre une bouteille d'eau froide, sans nous en offrir. Elle tremblait en dévissant le bouchon.

Marianne a tassé les photos pour étudier la boîte noire. Je n'avais pas envie qu'elle l'ouvre, encore moins qu'elle nous propose d'y jouer. Elle a posé ses mains de chaque côté pour en retirer le couvercle délicatement, dévoilant la vieille planche en bois sur laquelle reposait la planchette rouge, à l'envers. Du bout des doigts, elle a saisi la planchette pour l'éloigner du jeu. J'ai senti un courant d'air dans mon cou, et l'éclairage diffusé par le lustre au-dessus de nous a vacillé pendant une fraction de seconde. Marianne a levé la tête pour être certaine que nous avions aussi remarqué, puis, doucement, elle a sorti la planche de la boîte pour l'examiner. À voix basse, elle a dit :

— Je sais pas où t'as trouvé ça, Viau, mais je connais du monde qui serait prêt à payer une fortune pour en posséder une comme celle-là !

Sans détourner les yeux, elle m'a fait signe de lui tendre son sac. Elle a tourné la planche à l'envers et l'a approchée de son visage pour l'étudier de plus près.

— Je m'y connais pas trop… mais j'suis pas mal sûre qu'elle a été faite à la main, ben avant que ça soit commercialisé. Walker, irais-tu éteindre la lumière, s'il te plaît ?

J'ai hésité. Dehors, la nuit était presque tombée et je n'avais aucun désir de me retrouver dans le noir en présence de ce jeu-là. Voyant que je ne me mettais pas en action, Gabrielle a soupiré en se dirigeant vers l'interrupteur. Aussitôt, j'ai entendu un déclic et une lumière mauve est sortie du sac de Marianne.

Dans sa main, pas plus grosse qu'une lampe de poche, Marianne tenait une lumière noire à ultraviolets qui a tout de suite plongé la cuisine dans un éclairage macabre, accentuant les différents tons de blanc et assombrissant le reste. Elle a déposé le jeu de **OUIJA** face contre le comptoir et a approché sa petite lampe au-dessus de la planche de bois. Nous nous sommes penchés vers l'îlot pour constater… rien. Il n'y avait rien de plus sur la planche qu'à la lumière normale.

— Attendez…, a murmuré Marianne en plongeant de nouveau sa main libre dans son sac.

Elle en a sorti une petite bouteille, apparemment blanche, qu'elle a décapsulée agilement avec son pouce. À l'aide d'un vaporisateur, elle a pulvérisé du liquide sur toute la surface de la planche. Quelques secondes plus tard, devant nos yeux, des marques ont commencé à apparaître sous l'éclairage violet.

D'un côté de la planche, l'empreinte d'une main bleue semblait briller à travers le bois. Je pouvais y distinguer ses moindres plis et lignes. À l'opposé, une série de chiffres fluorescents avait été inscrite grossièrement :

04211873

Juste au-dessus, un mot avait été tracé de la même manière :

ELVINA

— C'est quoi ? a soufflé Gabrielle.

— Du sang.

— Mais comment…, a commencé Sabrina, haletante. Comment t'as su ?

Marianne a déposé sa lampe et le petit contenant de liquide pour aller réactiver l'éclairage. Sous la lumière du lustre, toutes les inscriptions ont disparu de la planche. Impossible de les voir à l'œil nu.

— Ta planche est marquée, a simplement dit Marianne.

— Je comprends pas.

— Avant, y avait juste les médiums qui utilisaient les planches parlantes. C'était un moyen efficace de parler aux esprits sans trop de complications… C'était « facile » aussi, pis c'est pour ça qu'un moment donné quelqu'un s'est emparé de l'idée pour se faire du *cash*. Mais c'est un jeu dangereux. Si on sait pas s'en servir, n'importe qui peut faire entrer n'importe quoi chez eux. Ça prend un minimum de connaissances si tu veux être capable de contrôler les forces invisibles. Comme dans pas mal n'importe quelle cérémonie, surtout en spiritisme, c'est un pacte que tu scelles avec le monde qui t'entoure. Pour se protéger, les vrais médiums marquaient leurs planches avec leur sang. Leur main dominante d'abord, celle qui est utilisée pour lire dans les lignes… pis leur nom avec leur date de naissance. Ça se pratique encore, mais c'est rare. La plupart des initiés refusent d'utiliser les planches, aujourd'hui. C'est pas assez sécuritaire… Trop d'histoires d'horreur.

À ces dernières paroles, Sabrina s'est mise à trembler de façon incontrôlable. Elle a reculé en fixant Marianne, jusqu'à buter sur le comptoir derrière elle. Elle était terrifiée.

— Pis ça fait quoi ? a-t-elle réussi à articuler.

— Ça fait qu'y a seulement la personne qui s'est imprégnée dans la planche qui peut s'en servir sans risque. Y a juste à elle que les esprits obéissent vraiment. N'importe qui peut l'utiliser, c'est sûr. Ça fonctionne pareil. Mais c'est considéré comme un sacrilège. Pis, tout dépendant de l'esprit, ça peut dégénérer…

J'ai tenté de résumer les paroles de Marianne.

— Ce que tu dis… c'est qu'il y a rien qu'on puisse faire ?

— J'ai pas dit ça. Y a toujours moyen de trouver une solution, j'imagine. J'ai jamais dealé avec ce genre d'affaires là. Une chose est sûre, vous avez fait tout ce qu'il fallait pas faire ! Faut jamais toucher à une planche de **OUIJA** sans connaître ses origines, surtout si personne est expérimenté. Aussitôt que ça s'est mis à faire des huit, vous auriez dû terminer la conversation. C'est toujours signe que l'esprit qui parle a pas des bonnes intentions. Mais vous autres, vous avez fait pire… vous avez laissé le curseur sortir de la planche. Vous avez libéré l'esprit.

Sabrina s'est laissée glisser par terre et s'est mise à pleurnicher, le visage enfoui dans ses mains. Gabrielle s'est accroupie près d'elle pour tenter de la calmer, mais plus elle lui frottait le dos, plus Sab pleurait à gros sanglots.

J'ai fait un pas en direction de Marianne, qui s'est tournée vers moi. Elle était d'un calme déconcertant, comme si elle venait de nous réciter sa recette favorite de gâteau au chocolat. J'ai jeté un coup d'œil à l'heure qu'affichait le four à micro-ondes pour réaliser qu'il ne nous restait que peu de temps pour déguerpir avant que les Viau reviennent de leur réunion.

— Marianne, t'as promis que tu nous aiderais.

— J'ai rien promis pantoute, Walker. J'ai dit que j'essaierais, c'est pas la même chose !

Gabrielle a bondi sur ses pieds pour s'adresser à Marianne par-dessus l'îlot de la cuisine. Ses yeux laissaient transparaître la panique.

— On peut pas brûler la planche, quelque chose ? S'en débarrasser ?

— À ce stade-ci, ça servirait à rien, l'esprit n'est plus lié à la planche… mais on peut essayer de le chasser.

Les petites ampoules du plafonnier ont émis un faible grésillement en vacillant de nouveau. Marianne a réinséré la planche de **OUIJA** dans la boîte, en omettant d'y placer aussi le curseur rougeâtre, puis, après l'avoir refermée, elle s'est mise à vider son sac sur l'îlot.

Gabrielle a tendu une main à Sabrina, qui tremblait toujours, pour l'aider à se mettre debout. Marianne l'a regardée droit dans les yeux, ce qui a semblé la saisir.

— Combien de temps avant que tes parents reviennent ?

Sabrina a regardé l'heure.

— Une demi-heure. Peut-être un peu plus. C'est dur à dire.

Marianne a sacré tout bas. Il lui faudrait se dépêcher. Elle a ordonné à Sabrina de trouver un balai et un porte-poussière le plus vite possible. Celle-ci a semblé surprise par cette demande étrange. Perdant patience, Marianne s'est exclamée :

— Pour nettoyer après, niaiseuse ! Tu penses quand même pas qu'on s'en va jouer au quidditch !

Sabrina s'est précipitée vers l'entrée pour revenir aussitôt avec l'attirail demandé. Marianne nous a sommés de rester autour de l'îlot et de ne bouger sous aucun prétexte. Elle a saisi un des grands pots qu'elle venait de sortir de son sac et a commencé à déverser son contenu autour de nous pour former un cercle. C'était une poudre blanche, on aurait dit du sel ou du sucre. Elle a refermé le cercle derrière elle.

Avec une craie, elle a dessiné un autre cercle au centre de l'îlot avec une rapidité étonnante. À l'intérieur de celui-ci, elle a tracé une étoile à cinq branches sans même lever la craie qu'elle pressait fermement entre ses doigts. Elle a regardé le comptoir désespérément avant d'arracher la bouteille d'eau que Sabrina tenait entre ses mains. Elle l'a posée à l'intérieur d'une des pointes de l'étoile.

— *Aqua*, a-t-elle murmuré.

Elle a allumé la mèche d'un petit lampion qu'elle a déposé à l'opposé.

— *Caminus.*

Avec la flamme de la chandelle, elle a enflammé un bouquet d'herbes et a aussitôt éteint le feu en soufflant dessus. Elle a mis les herbes à l'intérieur d'une autre branche tandis que la fumée continuait de s'envoler au-dessus du comptoir, embaumant l'air.

— *Aura.*

Elle a saisi un autre pot pour laisser tomber un amoncellement de sable à l'opposé des herbes.

— *Humus.*

Elle nous a considérés d'un coup d'œil rapide avant de reprendre sa craie pour dessiner un symbole dans la pointe supérieure de l'étoile.

— *Spiritus.*

Ensuite, elle a pris ma main, entrelaçant ses doigts aux miens, en même temps qu'elle attrapait celle de Sabrina. Instinctivement, nous avons tous joint nos mains de la même manière, et la fenêtre de la cuisine s'est ouverte à la volée, laissant entrer un courant d'air fulgurant. Le luminaire s'est éteint, plongeant la cuisine dans la noirceur bleutée du crépuscule. Seule la flamme du petit lampion éclairait désormais nos visages.

Marianne a levé la tête vers le plafond, les yeux fermés. D'une voix puissante, elle a scandé :

— Je m'adresse à l'esprit qui pollue cette maison ! Tu n'es pas le bienvenu ici ! Nous t'ordonnons de quitter cet endroit, au nom de…

Une des chaises de la salle à manger a été catapultée sur le mur du corridor et s'y est fracassée bruyamment. Marianne a serré ma main avant de reprendre :

— Nous t'ordonnons de quitter cet endroit, au nom de tout ce qui est…

Les portes d'armoire se sont mises à s'ouvrir et à se refermer en claquant. J'ai eu l'impression que tout mon corps était saisi de spasmes, avant de réaliser que c'était la maison au complet qui tremblait. Je pouvais même entendre les meubles heurter le plancher à l'étage au-dessus.

— Nous t'ordonnons de… Nous…

Marianne a semblé déstabilisée par la puissance de ce qui se déroulait autour de nous. Le vent s'est levé de plus belle. On aurait dit qu'il nous parvenait de partout en même temps. Il sifflait tellement fort que Marianne avait beau hurler, j'entendais à peine ce qu'elle disait. Seuls quelques mots me parvenaient ici et là : « chasse… maison… ordonne… lumière… » J'ai fermé les yeux de toutes mes forces, incapable de croire ce que j'étais en train de vivre. Je n'arrivais plus à réfléchir, ma tête tournait. La seule chose que j'arrivais à penser était : *J'aurais dû l'écouter et me tenir loin.*

La voix de Gabrielle est venue rompre le chaos.

— ARRÊTE ! ARRÊTE !

Le calme s'est réinstallé si brutalement que j'en ai perdu l'équilibre. J'ai senti la main de Marianne glisser hors de la mienne alors que le lustre se rallumait dans un grésillement sourd, illuminant la cuisine d'une lumière aveuglante. Il a fallu quelques secondes avant que le flash s'éclipse et que je puisse voir clairement. Marianne avait fait le tour de l'îlot et tentait de soutenir Gabrielle qui s'agrippait au comptoir comme si le sol s'était dérobé sous ses pieds.

— C'est correct, Gabrielle, lui chuchotait nerveusement Marianne. Tout est correct, c'est fini. Je suis là. Tout est correct…

Gabrielle a réussi à se redresser péniblement. Le blanc de ses yeux était maintenant rouge foncé, son visage inondé de larmes. Marianne a attrapé la bouteille d'eau pour la lui donner. Gab a bu une gorgée en essayant de reprendre son souffle. Elle avait l'air d'avoir couru pendant des kilomètres. Entre deux hoquets, elle a murmuré :

— J'étais pus capable de respirer… Ça m'étouffait…

Elle porté une main tremblotante à son cou. Marianne a doucement flatté ses cheveux en les ramenant derrière ses épaules pour lui dégager le visage. J'ai mis une main devant ma bouche pour dissimuler ma terreur. De chaque côté de son cou, des marques violacées apparaissaient sur sa peau. Des marques de doigts, comme si quelqu'un avait tenté de l'étrangler par-derrière. Sabrina, encore sous le choc, a suivi mon regard apeuré pour constater à son tour les empreintes autour du cou de Gabrielle.

Avant de s'évanouir, elle a essayé de crier. Mais aucun son n'est sorti de sa bouche.

TREIZE

Durant la semaine qui a suivi, j'ai commencé à penser que c'était terminé. Que nous avions réussi à débarrasser Sabrina de la chose démoniaque qui avait décidé de s'installer sous son toit. Le beau temps a semblé vouloir s'installer pour de bon sur Saint-Hector et le mercure s'est mis à grimper de façon régulière.

Gabrielle et moi avons tout raconté à Anthony, qui nous a écoutés d'un air attentif et intéressé avant de tout balayer de la main. Il préférait ne plus en entendre parler. Il voulait se concentrer sur la fin de l'année scolaire et terminer sa saison de volley-ball en bonne position afin d'avoir une chance de se qualifier dans l'équipe interrégionale de volley de plage. Pour ça, il devait avoir un bulletin impeccable, sinon ses parents lui interdiraient toute activité sportive pour favoriser des cours de rattrapage durant l'été.

— On dirait qu'il s'en fout, m'a confié Gabrielle.

— Je pense que c'est juste trop pour lui. Tu le connais, y aime mieux prétendre que tout est correct au lieu d'affronter les problèmes. Y est comme ça depuis qu'on est p'tits.

Les marques dans le cou de Gabrielle ont disparu rapidement. Le lundi d'après, à l'école, elle n'en gardait plus aucune trace, ce qui n'a fait qu'augmenter le scepticisme d'Anthony. Pourtant j'étais là. J'avais tout vu, je pouvais en témoigner. Mais encore une fois, il a préféré éclater de rire, convaincu qu'on se racontait des histoires. Selon lui, on voulait tellement y croire qu'on avait fini par nous persuader nous-mêmes de la véracité des événements. Ça commençait à me taper royalement sur les nerfs. Nous étions des meilleurs amis depuis des années, mais j'avais l'impression qu'il me prenait désormais pour un demeuré. Cette semaine-là, il a passé plus de temps avec les gars de son équipe qu'avec nous. Il a même réussi à convaincre Maddox de reprendre sa place dans la formation pour le restant de l'année. Comme la saison de basket de celui-ci venait de se terminer, il a fini par flancher.

Mais je voyais bien que Maddox agissait bizarrement. Anthony ne voulait pas l'admettre, mais quelque chose dans son comportement avait changé. Depuis quelque temps, une certaine méchanceté s'était installée dans son regard et dans sa façon d'être avec les autres. Le fier champion des C.A.C. Malabars, le gentil joueur étoile chéri par l'école au grand complet, paraissait de plus en plus se croire supérieur aux autres. S'il avait toujours eu de bons rapports avec les pensionnaires, il semblait dorénavant se moquer d'eux, comme si son nouveau statut de résident de Saint-Hector lui donnait le droit de les dénigrer.

Je repensais au Maddox nerveux et soucieux du sort de Justin Chen, que j'avais rencontré au party chez Sabrina, et j'avais peine à faire le lien entre les deux. Peut-être s'agissait-il seulement d'une façade, une façon pour lui d'oublier la mort tragique de Laurie ? Plus rien ne m'aurait surpris, à ce moment-là.

Malgré ce qu'elle tentait de nous faire croire, Sabrina avait toujours l'air mal en point. Elle nous avait pourtant assurés que le calme était revenu chez elle, qu'il ne s'était rien passé d'anormal depuis le vendredi soir. Nous l'avions quittée avec beaucoup d'inquiétude ce soir-là, incertains de ce qui pourrait bien lui arriver une fois que nous serions partis. Mais selon ses dires, elle dormait depuis à poings fermés toutes les nuits. Il avait bien fallu qu'elle invente une histoire pour expliquer la chaise brisée à ses parents, les meubles à l'étage qui étaient sens dessus dessous… Elle avait lamentablement échoué et ses parents étaient, semblait-il, furieux contre elle.

Elle continuait donc d'avoir l'air misérable, ce qui rendait Gabrielle complètement dingue. J'ai eu beau lui faire valoir l'hypothèse que peut-être Sab souffrait réellement d'une dépression, elle ne voulait rien entendre. Elle insistait pour me dire qu'elle *savait* et que je ne pouvais pas comprendre.

Les deux derniers jours de la semaine, Sabrina n'a même pas daigné se pointer à l'école. N'ayant aucun moyen de la contacter, Gabrielle a tenté de la joindre à plusieurs reprises sur la ligne fixe des Viau, uniquement pour se buter au refus catégorique de sa mère qui a fini par la menacer de porter plainte à la police pour harcèlement.

Marianne a continué de se faire discrète. Chaque fois que je l'ai croisée dans les corridors, elle me saluait subtilement d'un hochement de la tête et passait son chemin comme si de rien n'était. Il m'a fallu patienter jusqu'au vendredi après-midi, alors que j'attendais Anthony après l'école devant l'entrée de l'aile ouest, pour qu'elle se manifeste. J'étais assis dans les marches de pierres, plongé dans le bouquin que j'aurais dû avoir terminé depuis plus d'une semaine, quand elle est arrivée devant moi.

Elle avait changé ses cheveux. Elle avait coupé sa frange et sa chevelure lui arrivait désormais un peu plus bas que les épaules. Ils me sont apparus plus foncés que d'habitude, mais ce qui m'a le plus frappé, c'est qu'elle n'essayait même plus de cacher sa mèche colorée qui lui tombait dans le cou. Elle était maintenant rouge vif et non bleue comme avant. De toute évidence, elle ne se forçait plus pour contourner le règlement de l'école et avait décidé d'accentuer son maquillage. Le noir autour de ses yeux était plus large que jamais et sur ses lèvres, elle avait appliqué un rouge aussi intense que celui de sa mèche de cheveux.

— Tu fais de la grande lecture, Walker ! Argh… je me souviens d'avoir lu ça, moi aussi. C'est la grosse Valois qui vous oblige à le lire ?

Je l'ai dévisagée un moment, hésitant entre lui péter un plomb ou faire comme si elle n'existait pas.

— C'est William, mon nom… pas *Walker* !

— OK, OK. Pas obligé d'être bête.

Je ne savais pas trop pourquoi j'étais irrité. Après tout, elle avait tenu sa part du marché. Elle nous était venue en aide tandis que tout en elle lui dictait de ne pas le faire. Elle avait pilé sur son orgueil et s'était dévoilée à nous sans gêne alors qu'elle connaissait fort bien les rumeurs qui circulaient sur elle. Le problème, c'est qu'après être venue me reconduire chez moi, elle avait évité tout contact. Même pas un coup de fil pour prendre des nouvelles ou pour s'informer de Sabrina. Rien. Elle était retournée à sa vie en solitaire sans autre cérémonie, comme si je n'avais aucune importance. J'étais furieux, et en même temps, maintenant qu'elle était là devant moi, je ne pouvais m'empêcher d'avoir envie d'être avec elle. Toujours cette sensation d'apesanteur incontrôlable qui me faisait perdre mes moyens.

— Excuse-moi. Selon sœur Denise, je suis en train de pocher mon année pis ça fait flipper ma mère. La semaine a été *rough*.

— Je peux t'aider à étudier, si tu veux. J'ai toujours été bonne à l'école.

J'ai brièvement eu l'image de Marianne et moi, allongés sur mon lit en train d'étudier, et je me suis senti rougir. L'idée était plus que tentante, mais je n'aurais pas su comment agir dans une telle situation. Quelque chose m'attirait chez Marianne… beaucoup plus que je n'aurais voulu l'admettre. Et puis de toute façon, ma mère avait été formelle et il était hors de question qu'elle me ressorte ses sermons sur le genre de fille que je devrais fréquenter.

— Merci. Je devrais être capable de me débrouiller.

— Comme tu veux… Écoute, je voulais te parler de c'qui s'est passé chez ton amie Sabrina, m'a-t-elle dit, l'air soudainement tout à fait sérieuse. As-tu deux minutes ?

Deux filles sont sorties de l'école et ont dévalé les marches en passant à côté de moi. Un peu plus loin, je les ai vues me regarder du coin de l'œil avant de se retourner en ricanant. J'ai froncé les sourcils et j'ai grommelé en acquiesçant d'un hochement de tête. Marianne a monté les quelques marches qui nous séparaient pour venir s'asseoir à mes côtés.

— J'aimerais ça que ça reste entre nous, si tu vois c'que j'veux dire…

— Inquiète-toi pas. Je vois pas à qui j'irais raconter ça ! De toute façon, personne me croirait.

— D'expérience, les gens sont prêts à croire pas mal n'importe quoi quand ça les arrange… Je veux pas que le monde me prenne pour une *freak* !

— J'veux pas être plate, Marianne, mais c'est un peu trop tard.

— Niaiseux ! qu'elle a rigolé en me donnant un coup de coude.

— Ça a l'air d'avoir marché, en tout cas !

Elle est demeurée silencieuse, le regard perdu vers l'horizon. Le terrain de l'école se vidait tranquillement.

— William, si tu veux mon avis, c'est juste le calme avant la tempête.

— Mais je pensais que…

— Je sais pas. J'ai essayé de faire des recherches, mais y a des limites à ce que je peux trouver sur Internet. J'peux t'assurer qu'on n'a rien réglé, l'autre fois. Après ce que j'ai vu, ça serait surprenant.

— On fait quoi, d'abord ?

Marianne a haussé les épaules.

— On attend.

✚ ✚ ✚

Nous n'avons pas attendu longtemps.

Le dimanche suivant, fidèle à son habitude, le curé Turcotte a quitté le presbytère aux aurores pour aller préparer l'église de Saint-Hector en vue de l'office du matin. Il a monté les marches jusqu'au parvis et a sorti son lourd trousseau de clefs afin de déverrouiller le cadenas qui retenait l'énorme chaîne qu'il enroulait tous les soirs autour des poignées des portes de l'église. Une fois à l'intérieur, il s'est mis à hurler, tellement fort que ses cris ont réveillé les bonnes sœurs qui dormaient paisiblement dans leur maison de l'autre côté d'Anna Caritas.

Du moins, c'est ce qu'on raconte. Comment ça s'est vraiment déroulé, seul Turcotte pourrait nous le dire. Toujours est-il que la messe n'a pas eu lieu ce matin-là. Pendant la nuit, la nef avait été saccagée. Personne ne sait comment quiconque a pu réussir à entrer dans le bâtiment, ni de quelle façon l'église a pu subir une telle profanation sans que personne n'entende quoi que ce soit. Seul le curé en détient les clefs, et il a juré à qui voulait bien l'entendre qu'elles n'avaient pas quitté sa chambre.

Tous les bancs avaient été retournés et gisaient pêle-mêle dans la nef lorsqu'il a pénétré dans l'église. Les cierges avaient été fracassés, comme si quelqu'un s'était défoulé sur eux avec un bâton de baseball. Le plus troublant, et ça demeure à ce jour inexplicable, c'était la manière dont tous les crucifix, du porche jusqu'à la chapelle en passant par le transept, avaient été repositionnés vers le bas.

Sur l'autel, selon les rumeurs, il a retrouvé la carcasse ensanglantée d'un chat dont on avait coupé la tête. Celle-ci avait été déposée dans le bénitier qui servait aux baptêmes. Au milieu de l'église, à la croisée de la nef et du transept, un symbole avait été dessiné sur le plancher avec le sang de la bête.

Un pentacle inversé.

QUATORZE

Par les fenêtres ouvertes, le vent chaud du mois de mai entrait dans la voiture alors que nous roulions à toute vitesse sur l'autoroute. La journée était splendide. C'était presque dommage que nous la perdions assis dans une automobile. D'un autre côté, si nous n'avions pas été en route vers la ville, nous aurions passé ce mercredi à pourrir entre les murs d'Anna Caritas.

Ma mère allait être furieuse, je m'en doutais, mais si je lui avais demandé la permission, elle aurait refusé catégoriquement. Anthony, lui, n'avait eu qu'à feindre d'être fiévreux et sa mère avait tout de suite téléphoné à la secrétaire de l'école pour l'informer qu'il n'irait pas en classe. Gabrielle ne se souciait pas de ces choses-là. Même si sa mère se mettait en rogne, elle ne s'en souviendrait probablement plus quelques jours plus tard. J'étais le seul susceptible de passer un mauvais quart d'heure et d'être convoqué une nouvelle fois dans le bureau de sœur Denise, qui se ferait un plaisir de me rappeler que j'étais un élève médiocre.

Pourtant, faire l'école buissonnière m'est apparu aussi savoureux que libérateur. Je n'avais jamais manqué délibérément une journée d'école, c'était une grande première, mais après les événements du week-end, Marianne avait insisté pour qu'on la suive. Il y avait des signes qui, selon elle, ne mentaient pas. Au-delà des circonstances mystérieuses qui entouraient la violation du lieu de culte de Saint-Hector, la présence du même symbole que celui retrouvé chez Sabrina avait tout de suite alerté Marianne. Sans oublier que, malgré le fait qu'elle niait être toujours tourmentée, Sabrina dépérissait à vue d'œil.

Elle s'était présentée au collège le lundi en se traînant les pieds. Elle arrivait à peine à prononcer une phrase complète. Avant l'heure du dîner, la direction l'avait déjà renvoyée chez elle. Elle ne s'était pas pointée le mardi. Si elle s'était rendue à Anna Caritas ce matin-là, ce dont je doutais beaucoup, elle aurait trouvé le mot que Gabrielle avait glissé pour elle par la craque de son casier. Marianne nous avait donné rendez-vous à l'est de la Principale, au coin d'une petite rue nommée Elmwood. L'endroit était assez éloigné du collège pour que personne ne nous aperçoive, et ceux qui y résidaient ne porteraient pas attention aux passants.

Marianne a garé sa voiture devant la vieille taverne qui survit grâce aux quelques ivrognes fidèles qui s'y entassent tous les soirs. À cette heure-là, nous étions assurés de ne croiser personne.

— As-tu un permis valide ? lui a demandé Anthony en riant.

— Mets-en ! C'est la première chose que j'ai faite le jour de mes seize ans. Ça pis m'acheter ce tas de ferraille là !

Elle a tapé sur le toit de l'auto brune et nous y avons pris place, Gab et Anthony sur le siège arrière, moi en avant à côté de Marianne.

Nous roulions depuis près de deux heures quand j'ai aperçu la ville au loin. Ce n'était pas la métropole, ni même une ville importante, mais comparée à Saint-Hector, c'était toute une civilisation. Marianne a pris la première sortie annoncée, qui nous a menés directement dans la vieille partie de la ville, située en bordure de la rivière.

— Tu connais le coin, on dirait ! a lancé Anthony, confortablement évaché sur la banquette arrière, un bras autour de Gabrielle.

— J'ai habité ici longtemps…

J'ai eu envie de la questionner, de lui demander plus de détails. Je me suis retenu, sachant très bien que Marianne Roberts n'est pas du genre à raconter sa vie à la moindre occasion. Si elle avait envie de parler, elle le ferait. Sa réponse évasive à la remarque d'Anthony laissait présager qu'elle n'en dirait pas plus.

La voiture a zigzagué à travers les rues commerciales. Après quelques minutes, Marianne a effectué un virage avant d'immobiliser le véhicule au coin d'une petite rue. J'ai regardé autour à la recherche d'un quelconque indice de l'endroit où elle nous emmenait, sans résultat. Il n'y avait que quelques duplex cordés les uns sur les autres et, un peu plus loin, un garage délabré qui avait l'air à l'abandon. Le seul commerce sur la rue était un salon de barbier désert devant lequel un vieux bonhomme fumait une cigarette, assis sur une chaise de patio.

Nous sommes sortis de la voiture. J'ai apprécié pouvoir enfin me dégourdir un peu les jambes et m'étirer. Marianne a contourné son auto et nous a fait signe de la suivre. Elle s'est dirigée tout droit vers la porte qui se trouvait juste à côté du salon de coiffure pour hommes. Le vieillard a regardé Marianne, sa cigarette au coin des lèvres, et il a levé les mains dans les airs.

— Ah ! Ben ! Si c'est pas la belle Marianne ! Ça fait longtemps qu'on t'a pas vue dans l'boutte !

— Salut Ray ! Toujours en train de fumer tes cochonneries ?

L'homme a éclaté de rire avant d'être assailli par une quinte de toux. Il s'est renfrogné en souriant, dévoilant ses gencives à moitié édentées.

— Bah ! Faut ben mourir de que'que chose, fille !

Marianne a tiré sur la porte, qui s'est ouverte sur un escalier peinturé en mauve menant à l'étage au-dessus du barbier. Sur les murs, de chaque côté, des lignes ondulées de couleur rouille avaient été peintes et s'élevaient vers le palier. Nous avons monté derrière elle. Une fois arrivée en haut, Marianne s'est arrêtée devant la porte, comme si elle hésitait soudainement à entrer.

— Ça va ? que je lui ai demandé.

— Mmm, mmm. Ça fait juste bizarre d'être ici.

La porte était vitrée, mais un rideau sombre m'empêchait de voir ce qui se trouvait de l'autre côté. À la hauteur de mon visage, sur la vitre, un petit écriteau avait été accroché sur lequel on pouvait lire, écrit dans une calligraphie antique :

Marianne a pris une grande inspiration avant de pousser la porte. Le minuscule carillon décoratif accroché au-dessus de l'entrée a volé sous l'impact et s'est mis à tinter en se balançant lentement. L'odeur de l'encens m'a pris à la gorge. Ma mère en fait parfois brûler dans sa chambre, mais jamais je n'avais eu l'impression d'y *goûter*. En sourdine, j'ai cru entendre une musique étrange à sonorité asiatique. Ou indienne peut-être. Je n'aurais pas su dire. Ça ne ressemblait à rien de ce que j'avais déjà entendu.

J'ai compris tout de suite dans quel genre d'endroit Marianne nous avait traînés. J'avais peine à croire que ce type de repaire existait réellement. Chose certaine, il fallait connaître son emplacement, parce que rien n'annonçait la boutique de la rue. Le local était petit. Sur des étagères reposaient divers objets. Des pierres précieuses, des encensoirs, des bougies de toutes les couleurs, des boules de cristal, des jeux de cartes. Sur des présentoirs, quelques bijoux avaient été suspendus. Au fond à droite, une grande bibliothèque remplie de livres faisait office de mur. Derrière le comptoir de bois, différents pots en verre contenaient des herbes et des fleurs séchées. Il y avait tellement de choses que je ne savais plus où regarder. Sur le rebord de la fenêtre qui donnait sur la rue, deux chats nous observaient attentivement.

— Y a pas l'air d'avoir personne, ai-je chuchoté à Marianne.

— Il y a toujours quelqu'un.

Je me sentais tout drôle. Léger. Gabrielle est arrivée à côté de moi, les yeux écarquillés. Elle avait l'air aussi surprise que moi de se retrouver là.

Je me suis retourné en entendant un bruit étrange. Une femme venait de traverser un rideau de billes en bois qui se percutaient les unes les autres. Elle s'est avancée vers nous sans faire un seul bruit. On aurait dit qu'elle flottait à deux centimètres du plancher. Son apparence m'a laissé abasourdi. Elle était grande, mince, et sur la tunique noire qu'elle portait, ses longs cheveux rouges tombaient jusqu'à ses hanches. Ses yeux étaient clairs. Presque violets. Elle s'est arrêtée devant Marianne, les mains jointes vers le haut, comme en prière.

— Marianne… tu as encore grandi. Je peux ressentir la grande force qui habite en toi. Laisse-moi te prendre dans mes bras.

Sa voix était grave et douce, presque un murmure. Elle a enlacé Marianne en fermant les yeux, pendant ce qui m'a paru une éternité. Puis elle a jeté son dévolu sur nous. Anthony d'abord, à qui elle a serré la main en lui souhaitant la bienvenue. Elle s'est ensuite dirigée vers Gabrielle et a posé les mains de chaque côté de son visage. Elle lui a chuchoté quelque chose que je n'ai pas réussi à saisir, mais Gabrielle a eu l'air décontenancée.

Lorsqu'elle s'est immobilisée devant moi, j'ai eu l'impression que son regard me transperçait. Elle a joint ses mains sur la mienne solennellement avant de se pencher vers moi.

— Sois le bienvenu, cher ami. Je vois beaucoup de bonté en toi, de la dévotion aussi. Je sais tes rêves, mais ne t'inquiète pas : ici, tu n'as rien à craindre…

Elle a reculé gracieusement. Elle ne faisait qu'un avec l'air ambiant. Ma tête s'est mise à tourner. J'ai eu la sensation qu'elle venait de me parler de l'intérieur de moi, comme si elle était dans mes pensées.

— Je m'appelle Derry. Si je peux vous guider ou vous aider, n'hésitez pas à me le demander. Il est rare que Marianne nous emmène de la visite. Considérez donc ce lieu comme le vôtre.

— Est-ce que Nessa est là, aujourd'hui ?

— Oui, elle doit traîner quelque part en arrière.

Marianne a hoché la tête avant de s'avancer vers le rideau de billes colorées. Elle l'a entrouvert du revers de la main, puis s'est retournée vers nous pour nous faire signe de la suivre. Je me suis précipité à sa suite, impatient de m'éloigner de cette femme déstabilisante. Ce que je n'avais pas appréhendé, c'est ce que je trouverais de l'autre côté du rideau.

Je m'attendais à une arrière-boutique normale, avec des rangées de tablettes métalliques sur lesquelles seraient posées des boîtes. Mais la boutique que nous venions de quitter n'était qu'une façade. Derrière le rideau nous attendait une énorme pièce sans fenêtre dont les murs avaient été recouverts de livres. L'odeur de l'encens était plus forte ; on aurait presque dit qu'un nuage odorant envahissait l'endroit. Les produits proposés étaient similaires à ceux de l'autre côté, mais tout était décuplé. Tout avait l'air plus sérieux. Dans un coin, un éventail d'herbes de toutes sortes côtoyait des figures étranges baignant dans un liquide translucide. Protégés par des vitrines verrouillées, des objets bizarres avaient été disposés sur des tissus. Au fond de la pièce, quelques portes demeuraient closes. Je préférais ne pas savoir ce qu'elles cachaient.

Un homme et une femme avaient pris place à une petite table et buvaient un liquide chaud dans des petits contenants en céramique. La femme avait l'air tout à fait normale, elle aurait pu être une enseignante de maternelle. À une autre table, une vieille dame vêtue en blanc disposait des cartes en face d'elle, les yeux révulsés. Une femme est arrivée par le corridor du fond. J'ai dû cligner des yeux plusieurs fois pour être certain que je ne rêvais pas. Elle était presque identique à celle que nous venions de laisser dans l'entrée, sauf qu'elle arborait une longue tignasse blanche et brillante. Si Derry portait une tunique, son sosie était vêtu d'une longue robe verte en velours parfaitement ajustée.

Lorsqu'elle nous a aperçus, errant devant le rideau de billes, elle a froncé les sourcils avant de s'avancer vers nous d'un pas décidé. Visiblement, elle n'était pas aussi enthousiaste de nous accueillir que l'autre.

— Marianne Roberts ! Qu'est-ce que tu fais ici ? Et c'est qui, eux ?

— Garde tes discours pour une autre fois, veux-tu ? Je serais pas là si c'était pas important ! Et *eux*, c'est mes amis.

Nessa, je te présente Anthony, Gabrielle et lui, c'est William Walker.

Elle nous a lancé un regard furtif en se forçant à nous faire un sourire poli. Ses yeux étaient aussi pâles que ceux de Derry, peut-être même plus, mais les siens paraissaient gris. Elle a agrippé Marianne par le coude de façon menaçante pour l'emmener à l'écart, mais celle-ci s'est débattue. Voyant qu'elle n'arriverait pas à ses fins, Nessa s'est contentée de s'adresser à elle à voix basse.

— Tu m'avais juré, Marianne…

— Il faut que je voie Ulric. J'ai besoin de lui parler.

— Et veux-tu bien me dire pourquoi tu veux consulter un occultiste ?

— C'est rien que j'suis pas capable d'affronter, inquiète-toi pas ! Moins t'en sais, mieux c'est pour toi pis pour Riddle. Crois-moi ! Est-ce qu'il est là ?

— Dans quoi tu t'es encore embarquée ?

— Est-ce qu'il est là ?

Nessa a hésité avant de baisser les bras en secouant la tête, l'air découragé.

— Il est dans la salle noire… Mais je t'avertis, Marianne : Ulric ne dit pas toujours ce qu'on veut entendre. Sois prudente…

La femme blanche est passée à côté de nous sans nous regarder, avant de disparaître de l'autre côté du rideau qu'elle a tassé bruyamment de son chemin. Marianne est revenue vers nous. Anthony, estomaqué, scrutait la pièce avec incrédulité tandis que Gabrielle semblait sur le point de vomir. Son visage était pâle et son front, perlé de sueur.

— Et ça… c'était ma mère, a déclaré Marianne en soupirant. Faut que je m'éclipse dans le fond du magasin. Faites le tour, essayez de trouver n'importe quel livre qui pourrait nous aider. Je devrais pas prendre trop de temps. Oh ! Et si vous savez pas ce que c'est, touchez-y pas, OK ?

Avant même que j'aie le temps de dire quelque chose, Marianne était déjà rendue dans le corridor. Gabrielle s'est approchée de moi discrètement pour me murmurer :

— Sa mère ? Vraiment ?

J'ai haussé les épaules et je me suis dirigé tout droit vers une bibliothèque au-dessus de laquelle était inscrit, dans la même calligraphie que sur la porte d'entrée :

NÉCROMANCIE

J'étais aussi étonné que Gabrielle d'apprendre que la femme nommée Nessa était la mère de Marianne. Mais il fallait admettre que ça expliquait bien des choses. Seulement, ce n'était ni l'endroit ni le moment d'en parler. Quelque chose me disait que les murs avaient des oreilles et que nous étions épiés.

Anthony s'est mis à errer entre les présentoirs, observant les sachets et les breloques avec curiosité. Gabrielle m'a accompagné devant les étagères remplies de bouquins. Elle en a attrapé un et l'a ouvert. Sur la couverture noire, gravé en lettres dorées sur le cuir, je pouvais lire : *Talismanie – Les symboles et leurs significations*. Je lui ai envoyé un petit sourire quand elle a levé les yeux de son livre, et je me suis concentré sur les différents titres qui s'offraient à moi.

Il y en avait trop. Il aurait fallu passer la journée au complet à parcourir les rayons afin de tomber sur quelque chose de concret. J'ai tout de même arrêté mon choix sur une poignée d'ouvrages qui semblaient traiter d'invocation des morts et de hantise. Gabrielle, de son côté, arpentait les tablettes à une vitesse folle et avait commencé à empiler tous les livres qu'elle jugeait intéressants sur une des tables en bois massif. J'ai déposé ma pile à côté de la sienne, lorsque mon œil a été attiré par un grand livre posé sur un lutrin, près du comptoir exposant différentes fioles remplies de liquide. *SPIRITUS*, était-il inscrit sur le tissu qui recouvrait la couverture. Je l'ai agrippé pour l'ajouter aux autres.

Au moment où je déposais le bouquin sur la pile, un petit chat a sauté sur la table. Minuscule, il devait avoir à peine quelques mois. Il était presque tout noir, sauf pour son collier de fourrure blanche et quelques lignes plus pâles autour de ses yeux bleus. Il s'est dandiné vers moi pour me sentir, je lui ai donc tendu la main pour qu'il renifle mon odeur. Deux secondes plus tard, il bondissait sur moi en ronronnant. Je me suis mis à rire nerveusement. Ma mère a toujours détesté les animaux. J'ai donc rarement l'occasion d'entrer en contact avec eux.

Je l'ai flatté en arrière des oreilles pendant qu'il me donnait des petits coups de tête, en allant rejoindre Gabrielle qui tournait autour d'un présentoir orné de plusieurs pendentifs.

— *Oh my God!* Il est donc ben *cute*! s'est-elle extasiée devant le chaton dans mes bras.

J'allais répondre quand la voix feutrée de Derry s'est fait entendre derrière moi.

— Je vois que tu as rencontré Lancelot.

— Je… Je m'excuse, ai-je réussi à bafouiller. C'est lui qui m'a sauté dessus.

— Alors tu dois être d'exception, parce que Lancelot est plutôt du genre asocial. C'est la première fois que je le vois approcher quelqu'un.

— Pour vrai?

— Peut-être a-t-il senti les tourments qui te hantent? Les chats ont des dons insoupçonnés, tu sais? J'ai un livre là-dessus, en avant. Tu pourras l'ajouter à… tous les autres que tu as déjà choisis.

Elle a tendu un de ses longs doigts pour venir effleurer mon menton avant de flotter vers Gabrielle qui essayait subtilement de l'ignorer. Elle continuait d'observer les pendentifs avec soin, l'air concentré. Ça n'a pas empêché Derry de s'interposer.

— Ils sont beaux, n'est-ce pas ? Ils sont tous faits à la main par une amie à moi joaillière. C'est un art qui se perd, hélas. Chaque médaillon est unique, comme chaque personne l'est. Toi, c'est un comme celui-là qu'il te faut.

La femme aux cheveux rouges a décroché un des pendentifs et l'a déposé dans la paume de Gabrielle. Il s'agissait d'un médaillon sur lequel une espèce de soleil avait été gravé à l'intérieur d'un cercle. Gab l'a touché du bout de son doigt en parcourant les lignes.

— Qu'est-ce que ça signifie ?

— L'étoile est un des symboles les plus puissants qui soient. Une étoile à douze pointes, comme celle-ci, représente la Totalité. L'univers. Le nombre douze a des propriétés célestes depuis le début des temps… Les douze signes du zodiaque, les douze cycles lunaires, les douze travaux, les douze portes de l'Esprit, le douzième arcane du Tarot… Douze rayons puissants qui, une fois réunis, forment un noyau. Un passage pour filtrer tes rêves. Un capteur.

Gabrielle s'est mise à trembler subtilement. Je voyais bien dans ses yeux que quelque chose la tracassait, que ce que la femme lui disait la troublait. En me déplaçant lentement, pour ne pas brusquer le petit Lancelot qui semblait s'être assoupi dans mes bras, je suis allé me placer à ses côtés pour la soutenir.

— Pourquoi vous dites que c'est celui-là qu'il lui faut ? ai-je demandé, espérant que Derry arrête de fixer Gab dans les yeux.

— Je m'excuse… Je capte les gens naturellement, j'oublie souvent que certaines personnes préfèrent se dévoiler à leur rythme.

— Non, a soufflé Gabrielle. J'aimerais ça le savoir, moi aussi.

Derry a de nouveau posé ses mains de chaque côté du visage de Gabrielle en souriant. Ses yeux ont paru scintiller.

— Tu ne le sais donc pas ? Ma chérie, tu as le quatrième œil… C'est très rare, surtout chez les filles de ton âge.

— Le quatrième… Je comprends pas.

— Il y a le troisième œil. Il est situé juste là, au centre de ton front, entre tes arcades sourcilières. On l'appelle aussi « l'œil de l'âme » car il sert à regarder à l'intérieur de soi. Il existe cependant un don qu'on surnomme « le quatrième œil » et qui est moins répandu. À une certaine époque, c'était considéré comme de l'hérésie. On l'appelle aussi « l'œil divin » car il est à la base de la divination. Des médiums très puissantes seraient prêtes à tout perdre pour posséder un pareil pouvoir. Le tien est lumineux. Jamais je n'en ai vu d'aussi éblouissant. Prends le médaillon, je te l'offre. Porte-le. Il saura guider tes visions et te protégera des faux amis.

Gabrielle a rendu le pendentif à la dame en secouant vigoureusement la tête.

— Non merci, j'pense que vous vous trompez…

— Gabrielle… ne t'es-tu jamais demandé pourquoi tes rêves te semblent si réels ? Ne t'arrive-t-il pas d'avoir la sensation d'avoir déjà vécu un événement alors qu'il est en train de se dérouler ? N'as-tu pas l'impression, parfois, de ressentir les émotions des autres, si fort que tu finis par te les approprier ? N'as-tu pas l'impression de m'avoir déjà rencontrée avant aujourd'hui ? Tu peux le nier tant et aussi longtemps que tu le voudras, mais il y a des signes qui ne mentent pas. Prends ma main.

Derry a présenté la paume de sa main à Gabrielle qui avait désormais les yeux remplis de larmes. Elle a posé sa main sur celle de la femme et il y a eu comme un courant d'air. Même Lancelot a levé sa petite tête dans les airs pour observer ce qui se passait. Gabrielle a fermé les yeux en prenant une énorme inspiration. Son corps s'est mis à trembler. Elle a retiré sa main brusquement en reculant d'un pas, les yeux exorbités, comme si elle était soudainement terrifiée.

Au même moment, Marianne a fait irruption dans la pièce en marchant d'un pas pesant. Elle avait l'air en colère, presque troublée. Tout le monde dans la boutique a arrêté ce qu'il était en train de faire pour la dévisager. Son animosité était si palpable que l'atmosphère a subitement changé. Lancelot a bondi de mes bras pour aller se réfugier derrière le comptoir.

— On s'en va ! a-t-elle scandé dans notre direction.

Derry s'est jetée sur elle alors que Marianne marchait de long en large dans la pièce en dérobant divers articles sur les tablettes.

— Marianne, qu'est-ce qui se passe ? C'est Ulric qui t'a mise dans cet état ?

— Pas maintenant, ma tante, OK ? Si ça te dérange pas, je pars avec une couple d'affaires. Je vais te ramener tes livres pis te payer tout ça la prochaine fois qu'on se voit.

— Marianne !

Le visage de Derry s'est métamorphosé. Elle m'a paru beaucoup plus vieille tout d'un coup avec son air défait. La mère de Marianne, Nessa, est apparue à travers le rideau. Elle semblait flotter elle aussi.

— Je t'avais pourtant bien avertie…

Marianne était survoltée. Elle attrapait tout ce qu'elle voyait et fourrait le tout dans son immense sac en toile. Apeuré, Anthony est venu nous rejoindre pour nous aider à transporter les piles de livres.

— Qu'est-ce qui se passe ? nous a-t-il interrogés à voix basse.

Je lui ai fait signe discrètement de laisser tomber. Après avoir rempli son sac, Marianne a saisi les derniers livres que Gabrielle avait déposés sur la table et nous a sommés de nous en venir sur un ton sec avant de se précipiter vers la sortie. J'ai regardé Derry et Nessa, les sœurs rouge et blanche, en leur souriant pour m'excuser de la tournure des événements. Sans même se retourner, comme si elle l'avait senti, Marianne m'a lancé :

— Laisse-les faire, Walker ! Perds pas ton temps à t'excuser… Sont habituées !

Nous avons dévalé l'escalier à toute vitesse. Marianne nous avait largement devancés et, lorsque nous sommes arrivés à sa voiture, elle avait déjà démarré le moteur et nous attendait derrière le volant, ses énormes lunettes fumées devant les yeux. Une fois que nous avons été installés dans le véhicule, elle s'est empressée de grimper le volume de la radio au maximum avant d'appuyer fermement sur l'accélérateur. En moins de deux minutes, nous roulions plein gaz sur l'autoroute en direction de Saint-Hector.

Marianne a fini par éteindre la radio. Dès lors, le seul son qu'on a entendu a été les ronflements d'Anthony qui s'était endormi sur la banquette arrière. Gabrielle n'a rien dit. Elle s'est contentée de regarder les paysages défiler en faisant tourner entre ses doigts le petit médaillon que Derry lui avait offert. À mi-chemin, j'ai fini par briser le silence gênant.

— Est-ce que t'es correcte, Marianne ?

Elle a continué de fixer la route. J'ai cru tout d'abord qu'elle ignorait simplement ma question. Au bout d'un moment, j'ai réalisé qu'elle pleurait.

— Je m'excuse, William, a-t-elle fini par me répondre. Je vais m'en remettre. J'aurais pas dû vous emmener. C'est toujours pareil, chaque fois que j'vais là-bas ! Y m'prennent pour une conne, comme si je savais pas c'que j'fais. La pire, c'est ma mère ! Toujours en train de m'faire la morale... Pis après, elle se demande pourquoi je suis partie !

— Celui que t'as été voir... Ulric... est-ce que tu lui as parlé de Sab ?

— Ulric sait pas de quoi y parle. Au lieu de m'aider, il a aimé mieux me dire tout ce que je voulais pas entendre ! Faistoi-z'en pas, Walker, on va s'arranger tout seuls.

— Comment ?

— J'ai ma p'tite idée... tu vas voir.

QUINZE

Des heures et des heures le nez plongé dans les livres à essayer de trouver quelque chose qui aurait du sens, à tenter de trouver une explication à ce qui se passait à Saint-Hector. Deux semaines à passer tous mes temps libres à feuilleter la tonne d'ouvrages que nous avions empruntés à Riddle… pour aboutir à rien. Au moins, ma mère a cru qu'après la crise qu'elle m'avait faite, je me dévouais plus que jamais à mes études… Le seul problème, c'est que je n'étudiais pas en vue de mes examens imminents. Mais ça, elle n'avait pas besoin de le savoir.

J'avais réussi à m'en tirer pas trop mal en lui balançant un mensonge assez réaliste pour qu'elle le croie. J'ai eu droit aux sermons, à la morale, aux perles de la sagesse infinie de maman, mais au moins, j'étais toujours libre de faire ce que je voulais quand je le voulais. Tant qu'elle ne me voyait pas traîner avec Marianne Roberts.

Gabrielle et moi étions désormais toujours ensemble. Elle voulait trouver une solution aussi ardemment que moi. Je crois aussi qu'elle a commencé à s'intéresser plus sérieusement au sujet. Elle ne m'en a pas parlé, mais je sentais que depuis notre petite visite à la boutique de magie, elle voyait les choses autrement. Évidemment, j'ai tenté de lui reparler de sa conversation avec Derry. Je n'en ai glissé un mot ni à Marianne ni à Anthony. Ça appartenait à Gab. Toutefois, je comprenais mieux pourquoi elle avait été réticente à invoquer les esprits. Ses moqueries cachaient en vérité un certain malaise avec le don qu'elle soupçonnait posséder. C'était sans doute la raison pour laquelle elle avait déjà lu sur le sujet.

— C'est ça qui t'a fait te réveiller en hurlant pendant le cours, l'autre jour ?

— C'est pas juste des rêves, Will… C'est des avertissements. Ce que je vois, ça finit toujours par arriver, d'une façon ou d'une autre. Ce qui s'est passé dans l'église… j'étais là… je l'avais déjà vu…

Je voyais bien que ça l'effrayait. Ça m'aurait sans doute empêché de dormir, moi aussi. Cependant, elle n'avait pas trop l'air de vouloir en parler. Nous étions déjà plongés dans le surnaturel jusqu'au cou sans avoir à nous soucier d'autre chose. Je n'ai pas insisté. Je me suis contenté de me concentrer sur nos recherches. Chaque fois que nous trouvions une explication possible, quelque chose clochait. Il nous manquait toujours un morceau du casse-tête.

Anthony, quant à lui, a commencé à se faire plus discret. S'il s'est joint à nous à quelques reprises, il avait plus d'intérêt pour les lèvres de Gabrielle que pour la recherche. Il a fini par arrêter de se moquer de nous et de sous-entendre que nous divaguions : il voyait bien que nous étions sérieux. Seulement, son attitude parlait à sa place. Au cours des dernières semaines, il s'était mis à se tenir davantage avec les gars de son équipe de volley. Il avait même réussi à se qualifier pour l'interrégional de volley de plage. Si on le cherchait, il traînait généralement au gymnase ou sur le terrain de l'école pour pratiquer son service. Si lui nous cherchait, on était toujours assis à la même grande table dans un coin discret de la bibliothèque d'Anna Caritas, au grand désespoir de sœur Catherine qui devait nous chasser à chaque fin d'après-midi. Nous y avions également passé les deux derniers week-ends. C'est un des avantages du pensionnat : Anna Caritas ne ferme jamais ses portes.

Marianne venait nous y rejoindre, des fois. Elle ne restait jamais longtemps, mais nous assurait qu'elle effectuait aussi des recherches de son côté. C'était juste un peu plus compliqué qu'elle ne l'avait cru, nous avait-elle avoué. Elle m'avait affirmé avoir un plan, mais elle le gardait secret. Je commençais à croire qu'elle non plus n'avait aucune idée de ce qu'il fallait faire.

Le soir, quand les estrades du parc n'étaient pas envahies par des Hectoriens en délire devant un match de baseball, nous nous y retrouvions pour partager les maigres résultats de nos recherches. J'avais appris un tas de choses sur les esprits et les démons, une foule d'informations qui, j'en étais persuadé, ne me serviraient jamais. Je doutais même de la véracité de certaines choses qui m'apparaissaient tout droit sorties d'un film d'horreur. Mais rien ne ressemblait de près ou de loin à ce qui hantait Sabrina et commençait à sévir un peu partout dans Saint-Hector.

Depuis la profanation de l'église, des phénomènes étranges se déroulaient ici et là à travers la ville. Nous avions dorénavant la certitude que Sabrina était toujours aux prises avec son démon ; une semaine après la casse dans l'église, elle avait été complètement exemptée de ses cours pour une durée indéterminée. J'avais réussi à tirer les vers du nez à madame Veilleux à force d'insister et de faire ma face de piteux, parce que ni la secrétaire ni sœur Denise n'avaient voulu nous informer. Sabrina était impossible à joindre sans passer par son père ou sa mère, ce qui s'était avéré plus difficile que nous l'avions cru au départ. Apparemment, elle était souffrante et devait rester au lit.

— Une vilaine mononucléose, nous a dit madame Veilleux. J'espère qu'aucun de vous deux ne l'a embrassée avec la langue !

Marianne avait raison depuis le début. Cette chose était toujours de ce monde et n'allait pas abandonner. Nous ne l'avions que calmée pour quelques jours. Personne n'aurait pu faire le lien, mais je me doutais bien que les récentes disparitions de chats n'étaient pas une coïncidence non plus. Dans tous les commerces, les affiches « Chat perdu » avaient commencé à s'accumuler, comme si les chats de tout le monde s'étaient volatilisés en l'espace de deux semaines. Pour des raisons totalement incompréhensibles, les feux de circulation de Saint-Hector se déréglaient subitement, quand ils n'arrêtaient pas tout simplement de fonctionner. Déjà trois accidents avaient été causés par le phénomène, dont un qui avait enlevé la vie à une voisine de Marianne.

Dans la dernière semaine uniquement, l'alarme de feu d'Anna Caritas s'était déclenchée par elle-même à sept reprises, provoquant la colère de la direction qui ne savait plus quelle excuse donner aux pompiers. Ces derniers étaient d'ailleurs plus occupés qu'à l'habitude. Cinq résidences avaient été détruites par les flammes en quatre jours seulement. Évidemment, les commères de la ville ont rapidement répandu la rumeur qu'un pyromane fou arpentait les rues de Saint-Hector. Les circonstances des incendies demeuraient, cependant, un mystère pour les autorités.

Saint-Hector était au bord de la crise. La plupart de ses habitants semblaient croire que le sort s'acharnait sur notre patelin. La fébrilité se faisait sentir jusque dans les corridors d'Anna Caritas. On aurait facilement pu l'expliquer par la fin de l'année scolaire qui approchait et par la température estivale qui commençait à prendre ses aises, mais ce n'était plus uniquement la maison de Sabrina qui était hantée par une force obscure. C'était la ville au grand complet qui en subissait l'influence.

À part Sabrina, c'est surtout Maddox qui nous inquiétait de plus en plus. Il était devenu lugubre. Une pâle copie de lui-même. Gabrielle avait entendu, dans son cours d'histoire, deux pensionnaires parler de lui à voix basse. Selon leurs dires, Maddox souffrait de somnambulisme extrême. La nuit, il quittait sa maison pour se rendre jusqu'à l'école. Une nuit, ils l'avaient retrouvé en sous-vêtements dans le réfectoire des religieuses. Une autre fois, Maddox s'était réveillé, le matin, sur le toit d'Anna Caritas. C'est le concierge qui avait fini par l'entendre cogner sur la porte de la sortie de secours, qui s'était verrouillée de l'intérieur. Ce qui nous troublait le plus était sa façon d'intimider quiconque se trouvait sur son chemin. Selon les rumeurs, son dossier au bureau de sœur Denise épaississait à vue d'œil, à un point tel que la direction songeait à l'expulser du collège.

Il fallait trouver, et vite. Pas uniquement pour Sabrina, mais pour nous tous. Si Gabrielle était toujours tourmentée par ses rêves, moi, je n'arrivais pas à dormir plus qu'une ou deux heures en ligne. Je n'avais plus seulement la sensation d'être épié. J'étais désormais persuadé que je l'étais.

Le mois de mai a passé sans que je m'en aperçoive. Juin est arrivé, apportant son lot d'examens et de travaux de fin d'année. Je partageais mon temps entre les trucs que j'avais à faire pour l'école et la poursuite de nos recherches. Mais nous avions passé au travers de tous les livres empruntés à Riddle ainsi que de ceux que Marianne nous avait refilés depuis.

Gabrielle et moi lisions désormais les bouquins que l'autre avait déjà lus, au cas où on y aurait loupé quelque chose.

Le premier vendredi du mois, alors que la semaine de cours venait de se terminer et que la majorité des élèves de l'école festoyaient à l'extérieur, Gab et moi nous sommes rendus à la bibliothèque à reculons pour nous réapproprier notre table habituelle. J'aurais préféré aller somnoler sous notre chêne, mais c'était plus facile de dissimuler nos lectures parmi les livres et les ordinateurs. Même sœur Catherine a semblé découragée en nous voyant entrer d'un pas lourd.

— Torpinouche, les jeunes ! Y a pas juste l'école dans vie… Allez donc jouer dehors un peu, vous êtes pâles comme des bénitiers !

La bibliothèque d'Anna Caritas a été aménagée dans l'ancienne chapelle qu'utilisaient les sœurs alors que l'édifice était encore un couvent. L'endroit est spectaculaire. Bien que désireux de le moderniser, les architectes ont pris soin de conserver les arches et les vitraux, ce qui confère à l'immense salle un caractère spirituel et calme. La table que nous occupions se situait complètement au fond de la bibliothèque, entre deux rangées de livres. Selon la place où on était assis, on pouvait facilement scruter l'entièreté de la salle et savoir rapidement si quelqu'un venait dans notre direction sans pour autant être à la vue de tous.

Je venais de me plonger dans un livre traitant des différents rituels quand Anthony est venu nous rejoindre. Il s'est affalé sur une chaise en soupirant, une cannette de boisson gazeuse à la main.

— Qu'est-ce vous faites ? a-t-il lancé, comme si ce n'était pas évident.

Gabrielle a levé les yeux vers le plafond, irritée.

— La même chose que d'habitude ! As-tu besoin qu'on te l'explique *encore* ?

— Voyons, t'es ben bête !

Gab était de plus en plus agacée par Anthony. Si tous deux avaient filé le parfait bonheur au cours de la dernière année, les choses semblaient se dégrader depuis le début de la semaine. Je ne les avais pas vus s'embrasser une seule fois dans les derniers jours, ce qui était assez surprenant, eux qui n'arrivaient généralement pas à passer plus de cinq minutes sans fusionner.

— Ben oui, j'suis bête. Pis toi t'es con !

— C'est quoi, ton problème ?

Sœur Catherine, de son comptoir, a soufflé dans notre direction pour leur faire comprendre de parler moins fort. L'endroit avait beau être presque désert, elle ne tolérait pas les placotages dérangeants.

J'ai essayé de m'interposer entre eux.

— C'est vraiment pas le moment de vous pogner…

— Mon problème, a poursuivi Gabrielle sans me porter la moindre attention, c'est que tu nous déranges ! Je l'sais ben que tu penses qu'on délire, mais tu pourrais au moins nous aider au lieu d'agir comme un cave !

— Gabrielle…, ai-je tenté.

Anthony a froncé les sourcils en frappant sur la table avec son poing.

— Moi, ça ? Un cave ? *Fuck*, ça fait des semaines que ça dure ! Ben oui, on l'sait, là ! Sab va pas bien ! Reviens-en ! C'est rien que l'karma qui lui revient en pleine face !

Je me suis levé d'un bond en faisant grincer les pattes de ma chaise sur le plancher de la bibliothèque. Ça devenait insupportable.

— OK, Anthony. J'pense que tu ferais mieux d'aller respirer dehors…

Il s'est levé lentement et a fait un pas dans ma direction, l'air menaçant.

— As-tu quelque chose chose à m'dire, William Walker ? Qu'est-ce que ça peut ben t'faire, à toi, c'qui arrive à Viau ? Tu l'as jamais aimée !

— *Come on*, Anthony…

— Démerdez-vous tout seuls ! Moi, je m'en mêle pus ! Vous me rappellerez quand ça vous tentera de faire d'autre chose que licher les bottes à *Marianne Roberts* !

— Est-ce qu'il y a un problème, ici ?

Sœur Catherine est apparue entre les rangées de livres, les mains sur les hanches. Anthony lui a envoyé son plus beau sourire avant de quitter la bibliothèque en trombe. Gabrielle a essuyé son œil subtilement et a continué à faire semblant d'être concentrée sur sa lecture. Je me suis assis et j'ai fait un petit signe de tête en direction de sœur Catherine pour l'assurer que nous avions compris le message, et je suis retourné à mon livre. Lorsque la religieuse a été hors de portée de voix, j'ai levé les yeux vers Gabrielle.

— Y pensait pas ce qu'il a dit, Gab.

Elle a simplement haussé les épaules en évitant mon regard puis a noté quelque chose dans son cahier, comme si rien ne venait de se passer.

Au bout d'une heure, je n'arrivais plus à focaliser sur les mots. Ils s'embrouillaient et je devais relire les mêmes phrases plusieurs fois d'affilée pour en déchiffrer le contenu. Je m'étirais en bâillant, en espérant chasser la fatigue, quand j'ai vu du coin de l'œil Marianne en train de traverser la bibliothèque d'un pas rapide, en tenant fermement son sac contre sa poitrine. Elle avait l'air affolée.

Elle a déposé son sac bruyamment sur la table avant de prendre place à l'extrémité pour nous faire face.

— Je pense que j'ai trouvé, a-t-elle déclaré tout bas.

J'ai refermé mon livre instantanément d'une main pour le pousser plus loin, excité de connaître enfin l'issue de ses recherches. Elle avait été tellement évasive.

Des rires nous sont parvenus en écho. Marianne s'est retournée pour voir un groupe de garçons qui venaient d'entrer dans la bibliothèque. Elle a attendu qu'ils disparaissent dans un des rayons éloignés pour se pencher vers nous. À voix basse, elle a entamé son plaidoyer.

— Y a quelque chose qui me chicotait depuis un bout déjà, mais j'étais pas capable de mettre le doigt dessus… Trop d'affaires qui font pas de sens. Quand on a été chez Riddle, j'en ai parlé avec Ulric. C'est un spécialiste en démonologie – le genre de gars chez qui t'as pas l'goût de dormir, si vous voyez c'que je veux dire – pis il m'a assuré hors de tout doute que c'était quasi impossible qu'un *poltergeist* perturbe une ville au complet… en tout cas, pas de cette façon. Du vandalisme dans une église peut-être, ça s'est déjà vu, mais des feux pis des meurtres, ça serait vraiment surprenant. Y est *weird*, Ulric, mais y connaît ses affaires. Ça explique pourquoi on trouve rien… Il se passe plus que juste une affaire. Pis au lieu de se concentrer sur Sabrina, on s'est laissés distraire pis on s'est éparpillés.

Je ne comprenais pas où Marianne voulait en venir. Je lui ai lancé un air de confusion en secouant la tête. Elle a plongé sa main dans son sac pour en sortir le cartable de cuir noir qu'elle traînait toujours avec elle. Elle a posé une main dessus en continuant :

— J'suis retournée à la case départ… Sabrina Viau. Quand vous avez joué avec la planche de **OUIJA** ce soir-là, c'est clair, vous avez libéré quelque chose. Ça, y a pas de doute. Ça fait des jours que vous lisez sur les démons, pis j'pense que c'est sûr maintenant qu'on n'a pas affaire à ça. Ulric me l'a confirmé, mais je voulais être certaine quand même… Un démon agirait pas comme ça. C'est plus subtil. Plus sournois. Dans n'importe quel cas, y aurait fini par posséder Sabrina et on s'en serait rendu compte assez vite : ça l'aurait transformée complètement.

— Un poltergeist ? a suggéré Gabrielle du bout des lèvres.

— Non plus. Dans ce cas-là, ses parents s'en seraient aperçus tout de suite pis, à moins qu'ils soient vraiment niaiseux, y auraient déjà quitté la ville, selon moi. Non. C'est un esprit. Un fantôme, si vous voulez. Une âme errante, quelque part entre la vie pis la mort. C'est assez courant. Ça s'explique généralement quand quelqu'un meurt sans en être conscient… Ils savent pas où aller, ça fait qu'ils restent pris dans le monde physique. C'est un peu le même principe qu'un voyage astral. *Anyways*, je m'écarte ! En arrivant à ce constat-là, j'ai commencé à faire des recherches. Pour pouvoir le chasser, faut d'abord savoir c'est qui pis pourquoi il refuse de quitter notre monde. Vous comprenez ?

J'ai acquiescé silencieusement en essayant d'assimiler tout ce qu'elle racontait. Elle parlait tellement vite que j'avais peur de ne pas tout saisir. Gabrielle a aussi hoché la tête. Elle avait l'air chamboulée par ce que Marianne était en train de nous expliquer.

— J'ai fouillé dans les registres de la ville pour trouver quelque chose, mais y s'est jamais rien passé d'extraordinaire dans la maison des Viau. Aucun décès, aucun accident. *Nada.* La seule chose qu'il y avait sur le terrain où le développement a été construit, c'est des arbres pis des arbres pis des arbres. Ça veut dire une chose : c'est pas la maison qui est hantée… C'est Sabrina.

Ça n'avait aucun sens. Comment alors expliquait-elle Maddox ? Laurie ? Sarah ? L'église ? Tout ce qui se déroulait dans la ville ? Un simple fantôme n'aurait pas pu faire cela.

— Je comprends pas, ai-je dit.

— L'esprit a jamais été *dans la maison* ! Y est rattaché à Sabrina elle-même, un peu comme le principe des anges gardiens, vois-tu ce que j'veux dire ? Si quelqu'un de proche de toi meurt, y a des bonnes chances qu'il veuille pas t'abandonner pis qu'il reste près de toi. Ça fait que j'ai fouillé comme une défoncée le passé des Viau… Deux de ses grands-parents sont morts avant sa naissance, alors on les oublie, pis ses deux autres sont encore vivants. À part ça, elle a une tante qui est morte y a trois ans, mais elle habitait à l'autre bout du monde, alors je pense pas que ce soit elle.

Marianne a soupiré avant de sortir une bouteille d'eau de son sac et de boire une grosse gorgée. Elle nous a observés en silence. Au loin, les rires et les chuchotements des gars qui étaient entrés plus tôt résonnaient sur les murs pour parvenir jusqu'à notre table. J'ai perdu patience.

— C'est tout ? C'est ça que tu penses avoir trouvé ?

— Attends, le meilleur s'en vient… Ça a été compliqué, mais j'ai fait aller mes contacts, pis un gars avec qui j'allais à l'école avant a été capable de me trouver le dossier médical de Sabrina – tout est informatisé, astheure, c'est comme une *joke*.

Elle a attrapé dans son cartable une pile de feuilles reliées avec une pince et l'a déposée devant nous sur la table.

— C'était pas la première fois qu'elle se retrouvait en psychiatrie. Avant qu'elle arrive à l'école, elle a déjà été internée à deux reprises : la première, c'est quand elle avait cinq ans. Troubles de comportement. À part une couple de notes du médecin sur la possibilité qu'elle soit schizo ou autiste, y a pas grand détails dans le dossier. La deuxième fois, c'était y a deux ans, quand ils venaient de déménager ici, juste avant qu'elle entre à Anna Caritas.

Marianne a tourné les premières pages du document qu'elle venait de nous remettre pour nous montrer un passage.

> La patiente Viau démontre des signes de paranoïa et de mythomanie. Elle affiche un comportement autodestructeur et affirme n'avoir aucun souvenir d'avoir tenté de s'enlever la vie. La patiente nie également les actions qu'elle a commises envers ses parents et la crise violente au cours de laquelle elle a démoli le mobilier de sa chambre.
>
> Colères répétées. Troubles alimentaires. Douleurs imaginaires. Stress causé par déménagement. Stress causé par puberté précoce. Conflit familial.

Gabrielle a écarquillé ses yeux.

— Sab a dit qu'elle avait trouvé le **OUIJA** la semaine où elle a déménagé !

— Exactement ! Si elle se comportait comme ça à ce moment-là, c'est sûrement parce qu'elle avait déjà joué avec… Le *fuck*, c'est que ça nous dit pas plus *qui* la hante ! Ça fait que je suis remontée encore plus loin. Dans le dossier, j'ai sa date de naissance et le nom de l'hôpital où elle est née. C'est comme ça que j'ai appris que les Viau viennent pas d'ici : Sabrina est née au Manitoba. Elle est arrivée au Québec quelque part entre sa naissance pis l'année de ses cinq ans.

C'est là que c'est devenu plus compliqué. Je suis retournée voir mon ami, qui a *hacké* tous les sites qu'il pouvait. La première chose qu'il a trouvée, c'était ça.

Elle nous a tendu une feuille de papier sur laquelle avait été imprimé un vieux certificat de baptême. Sur une ligne au centre du document, juste en dessous de la date, on pouvait lire :

A ÉTÉ BAPTISÉE : *Sabrina & Danika Viau — filles de M. Mathieu Viau et Mme Julia Sawasky.*

Je n'en croyais pas mes yeux. Un sourire de satisfaction s'est dessiné sur les lèvres de Marianne. Elle avait l'air fière de la réaction qu'elle venait de susciter chez Gab et moi.

— Vous vous rappelez quand elle arrêtait pas de répéter qu'elle était pas croyante ? *Bullshit.* Non seulement elle a été baptisée, mais elle l'a été en même temps que sa sœur jumelle. Bon, ça veut pas dire qu'elle a la foi… mais des sacrements comme le baptême, ça laisse des traces…

Marianne a sorti une dernière feuille de son cartable. C'était une copie carbone d'un avis de décès paru dans un journal de Winnipeg. Sur la photo, on pouvait voir une fillette blonde et souriante. Sous la photo, un nom : Danika Viau.

Lundi dernier, au Winnipeg Children's Hospital, à la suite d'un tragique accident, est décédée Danika Viau à l'âge de 20 mois. Elle était la fille de Mathieu et Julia Viau. Elle laisse dans le deuil sa sœur jumelle Sabrina ainsi que...

J'en ai eu le souffle coupé.

— Tu penses que…

— J'en suis persuadée.

— Ben voyons, a répliqué Gabrielle. Comment un bébé peut hanter quelqu'un ? Ça s'peut pas !

— Ma mère m'a souvent dit qu'elle avait un lien tellement fort avec sa sœur jumelle que si Derry se cognait le genou sur une table à l'autre bout du monde, elle ressentait elle aussi la douleur. C'est bizarrement fait, des jumeaux identiques. Y a des croyances qui veulent que les deux soient interreliés par un fil invisible. Si y en a un des deux qui meurt, le fil se brise pas nécessairement. Ça veut dire que « l'autre » évolue lui aussi, dans une autre dimension. Une âme, ça fonctionne pas pareil en dehors du corps humain. Moi j'pense que c'est ça que Sabrina a réveillé… l'esprit de Danika. Mais des années dans les limbes, ça l'a déshumanisée. Ce n'est peut-être pas un démon… c'est peut-être pire. Qui sait l'effet que ça a eu sur elle de passer par cette planche ?

— Qu'est-ce que la planche a à voir là-dedans ? ai-je demandé.

— Tu te rappelles quand je vous ai expliqué que la planche de **OUIJA** qu'a utilisée Sabrina avait été marquée ? C'est de la vieille magie. Une fois que la planche est marquée, seul le ou la propriétaire peut s'en servir sans danger. Ce que Viau a fait… ce que *vous* avez fait… c'était un sacrilège. J'ai rien trouvé sur cette Elvina. Mais si elle était assez expérimentée pour fabriquer son propre **OUIJA,** on peut juste présumer la quantité d'esprits mauvais qu'elle a pu canaliser à travers le jeu. Peu importe les intentions originales de Danika... En la libérant, vous avez enfreint toutes les règles. Vous avez profané un objet sacré. Rien de bon peut ressortir de ça. C'est ma théorie.

J'ai sursauté.

— Ta théorie ? ai-je dit. T'es en train de me dire que tout ça, c'est juste une hypothèse ?

— As-tu une meilleure explication, Walker ? On baigne dans l'occulte ! Je connais des affaires, j'ai fait mes expériences, mais j'ai jamais eu à dealer avec quelque chose comme ça avant ! J'ai essayé de questionner Ulric, mais il a refusé de m'en dire plus. Il est persuadé que… il pense que… Ah ! Puis on s'en fout, c'est pas ça qui compte ! Ce qu'il faut, c'est isoler Sabrina et forcer l'entité qui la hante à s'en aller. Je pense que c'est sa sœur jumelle, sous une forme ou une autre. Rendu là, je peux juste spéculer… Mais je pense que ça vaut quand même la peine d'essayer.

Nous nous sommes regardés en silence. Ça avait du sens. Du moins, c'était l'explication la plus plausible parmi toutes celles que nous avions élaborées jusque-là. Cependant, ça ne répondait pas à toutes les questions. Si c'était bel et bien Sabrina qui était aux prises avec cette chose inhumaine, qu'est-ce qui m'épiait la nuit ? Qu'est-ce qui causait tous ces phénomènes étranges dans la ville et dans l'école ?

J'ai été sorti de mes pensées par les bruits de pas de sœur Catherine.

— Je vais fermer la bibliothèque pour la soirée, les jeunes. Faudrait que vous ramassiez vos affaires.

Nous avons rangé notre attirail en vitesse pour nous diriger vers la sortie, escortés par sœur Catherine. Avant de passer la porte, Gabrielle s'est arrêtée.

— Vous faites pas sortir les autres ? a-t-elle demandé à la religieuse.

Celle-ci l'a regardée comme si elle venait de sacrer.

— Y a personne d'autre que vous trois.

Gabrielle a paru décontenancée, mais n'a pas insisté. Elle s'est approchée de moi pour me chuchoter :

— J'suis pas folle, tu les as vus, toi aussi ?

J'ai acquiescé. Quelques minutes plus tôt, un groupe de garçons étaient entrés dans la bibliothèque. J'ai scruté rapidement l'ancienne chapelle pour constater que sœur Catherine avait raison : nous étions seuls.

— Ils sont peut-être partis sans qu'on s'en aperçoive…, ai-je répondu à Gab.

Nous avons commencé à marcher vers les portes de l'aile est pour sortir de l'école. Gabrielle était sur le point de dire quelque chose quand nous avons entendu des pas de course, derrière nous, venir dans notre direction.

Anthony était en sueur. Il s'est penché vers l'avant, les mains sur les genoux, pour reprendre son souffle. Il a essayé de parler, mais il n'arrivait pas à respirer normalement. Gabrielle, sur un ton exaspéré, lui a demandé ce qu'il avait. Il a levé un doigt dans les airs pour lui demander de patienter encore peu. Lorsqu'il a fini par se redresser, il a affiché une expression de panique.

— J'suis… J'suis venu aussitôt que je l'ai su…

— Quoi ? a éclaté Gabrielle. De quoi tu parles ?

Il a changé d'air en voyant qu'on ne comprenait pas à quoi il faisait allusion. La panique a disparu pour laisser place à la frayeur. Sur un ton grave, il a ajouté :

— Sabrina...

IIII

LEGIO

SEIZE

Assise sur le vieux sofa du sous-sol de ma maison, Gabrielle s'est mise à pleurer de nouveau. J'ai eu beau lui dire de ne pas s'en faire, que Marianne allait tout régler, elle continuait de répéter qu'on avait réagi trop tard, que tout était de sa faute... qu'elle aurait dû *comprendre* avant.

L'attente était interminable. Marianne nous avait ordonné de ne pas bouger, elle avait dit qu'elle allait revenir nous chercher le plus rapidement possible, mais nous étions sans nouvelles d'elle depuis bientôt trois heures. Gabrielle n'a même pas touché au bol de pâtes que ma mère nous avait descendues plus tôt. Évidemment, elle était déjà au courant de ce qui se passait à son retour du travail. Tout Saint-Hector en parlait.

Tous les voisins des Viau s'étaient avancés sur leur terrain pour observer les policiers et les deux ambulanciers qui tentaient, le plus calmement possible, d'emmener Sabrina jusqu'à l'ambulance. Apparemment, notre amie s'était débattue avec violence en hurlant de toutes ses forces. Elle avait même mordu un des ambulanciers et en avait griffé un autre dans le visage en essayant de se défaire de leur emprise. Ils avaient fini par lui administrer un sédatif qui l'avait calmée un peu. Selon les dires des dames à l'épicerie, nous a rapporté ma mère, on pouvait encore l'entendre hurler quand l'ambulance a tourné le coin de la rue.

Marianne a fini par apparaître en bas des marches qui menaient au sous-sol. Elle s'était débarrassée de ses vêtements d'école pour revêtir une robe noire et ample qui lui arrivait aux chevilles. Elle s'était démaquillée complètement et, sur sa tête, elle portait une casquette noire, ses cheveux noués dans son cou.

— J'viens de perdre ma job !

— Ben voyons donc ! me suis-je exclamé. Pourquoi ?

— Je leur ai dit que je pouvais pas rentrer ce soir… encore. Y ont pas aimé ça. Ta mère avait pas l'air contente de m'voir, a-t-elle dit.

— Laisse faire ma mère. C'est quoi, le plan ?

— On attend que la nuit tombe. J'ai donné rendez-vous à mon cousin Tyler à dix heures. Anthony est pas là ? Y va être là quand ?

Gabrielle a émis un petit rire sarcastique.

— Y est parti chez eux. J'pense pas qu'il va r'venir.

Marianne a laissé tomber son sac par terre en secouant la tête.

— Non non. Non non. Y faut qu'il soit là ! Tu comprends pas, on peut pas compléter le cercle sans lui… on sera pas assez forts !

— Quel cercle ? a demandé Gab.

Marianne s'est avancée vers nous et s'est assise sur le bout du fauteuil berçant qui s'agençait avec le sofa. Elle s'est accoudée sur ses genoux et, après s'être assurée que personne ne pouvait nous espionner, elle a expliqué à voix basse :

— Viau est à l'hôpital… Y disent qu'elle fait une psychose sévère. Apparemment, elle a tout cassé dans sa chambre pis elle a essayé de se lancer par la fenêtre. Quand ses parents ont essayé de l'en empêcher, elle a étranglé son père tellement fort qu'y est tombé sans connaissance.

— Comment tu sais ça ? l'ai-je interrogée.

— Tout finit par se savoir, ici. On peut passer la soirée ici pour que je t'explique le pourquoi du comment, Walker, mais on n'a pas le temps de niaiser. Il faut la sortir de l'hôpital. Si on n'agit pas assez vite, *who knows* ce qui va lui arriver ? Je sais pas à quoi on a affaire… Si la chose qui a fait ça à Sabrina a assez de puissance pour démolir des meubles, ça veut dire deux affaires : elle est en train de s'emparer d'elle ou, pire, elle essaie de la tuer. On a besoin d'Anthony. De un, parce qu'il est fort physiquement. De deux, parce qu'il faut absolument être quatre si on veut que l'exorcisme fonctionne…

+ + +

La voiture de Marianne était stationnée devant la grande maison des parents d'Anthony, de l'autre côté de la rue. Aucun de nous n'a pensé deux secondes à ce qu'on ferait une fois rendus là. Nous nous sommes contentés de rester dans l'auto à fixer la demeure. À travers la baie vitrée, on pouvait clairement voir ses parents en train de boire un verre de vin à la table de la salle à manger.

— Elle est située où, sa chambre ? a demandé Marianne.

— C'est celle-là, en haut, où la lumière est allumée, a répondu Gabrielle avant que j'aie le temps de répondre.

— Je vais aller sonner, je m'en fous ! a décidé Marianne.

— Je peux y aller, moi aussi, ai-je dit. Ses parents m'aiment bien.

— Non, restez ici, a tranché Gabrielle. Je suis sa blonde, après tout. Si y a quelqu'un qui peut le convaincre, c'est moi…

Elle est descendue de la voiture et s'est dirigée d'un pas rapide vers la maison. En chemin, elle s'est penchée pour ramasser des copeaux du paillis qui ornait la façade. Elle s'est positionnée sous la fenêtre de la chambre d'Anthony et s'est mise à lancer des morceaux dans la vitre.

— Mais pourquoi elle va pas juste sonner ? s'est impatientée Marianne.

— Je sais pas. Avec les parents à Anthony, vaut mieux pas prendre de chances.

Après plusieurs tentatives, la silhouette de mon ami est apparue en contre-jour. Il a ouvert la fenêtre et la moustiquaire pour sortir sa tête à l'extérieur en gesticulant. D'où nous étions, impossible d'entendre ce qu'ils se disaient, mais selon la manière dont Gabrielle faisait aller ses mains, la discussion n'allait pas dans la bonne direction. À un certain moment, elle a montré la voiture de Marianne du doigt en continuant de bouger ses bras.

Anthony a fini par quitter le bord de sa fenêtre. Gabrielle est restée là, les bras ballants. Quelques secondes plus tard, je l'ai vu faire irruption dans la salle à manger où ses parents étaient toujours assis en train de discuter. Il leur a dit quelque chose et est retourné en direction de sa chambre. La lumière s'est éteinte, mais il faisait encore assez clair pour qu'on distingue son ombre qui lançait quelque chose à Gabrielle. Un sac.

— Mais qu'est-ce qu'il fait ? Y est fou ?

Anthony a passé une jambe à travers l'ouverture de sa fenêtre. Puis une deuxième. Il s'est donné un élan avec ses mains et a sauté sur la pelouse, atterrissant en roulant sur lui-même. Gab lui a tendu son sac. Ils ont traversé la rue en courant pour s'engouffrer dans le véhicule, tous les deux essoufflés. Je me suis retourné vers mon ami.

— La porte, ça te tentait pas ?

— J'me suis pogné avec mes parents, tantôt. Y m'auraient jamais laissé sortir à cette heure-là… Faut c'qu'y faut.

Marianne a fait démarrer la voiture. En levant les yeux vers le rétroviseur, elle a remercié Anthony d'être là. Il a tourné la tête vers l'extérieur.

— Je suis pas là pour toi, Roberts ! Je suis là pour Gabrielle. C'est elle qu'y faut remercier.

Il avait l'air furieux. Au moins, il était là… Marianne m'a lancé un regard perplexe avant d'appuyer sur l'accélérateur et de faire demi-tour vers la route 33, en direction de l'autoroute. Personne n'a osé parler. Devant nous, le ciel s'assombrissait à vue d'œil. Je ne savais pas encore dans quoi exactement je m'étais embarqué, mais mon instinct tordait mes tripes.

✚ ✚ ✚

Nous avons roulé environ une demi-heure avant que Marianne enclenche son clignotant pour prendre une sortie semblant ne mener nulle part. Elle s'est engagée sur une petite route de campagne en augmentant la puissance de ses phares. Autour de nous, la nuit avait tout envahi et le ciel nuageux plongeait le paysage dans une noirceur opaque.

Après quelques minutes, elle a ralenti, puis a tourné sur un chemin de terre à travers les bois. Les arbres ont fini par se clairsemer et nous avons abouti devant une ferme complètement isolée. Elle a arrêté la voiture devant la vieille clôture délabrée avant d'éteindre le moteur. L'endroit semblait inhabité et la maison de pierres qui se dressait devant nous, avec ses fenêtres placardées, donnait froid dans le dos.

— Qu'est-ce qu'on fait ici ? a chuchoté Gabrielle.

— On attend. Mon cousin devrait être là d'une minute à l'autre.

Marianne a détaché sa ceinture et s'est installée, fidèle à son habitude, en s'adossant sur la portière. Elle m'a donné un petit coup avec son pied en me souriant. Même si elle avait l'air tout à fait calme et démontrait de l'assurance, il y avait une espèce de tristesse dans ses yeux.

— On est où, exactement ? que je lui ai demandé.

Marianne a regardé vers l'immense terrain qui s'allongeait de l'autre côté de la palissade et m'a répondu avec une voix douce et grave qui m'a rappelé sa tante Derry.

— Quand j'étais petite, je passais mes étés ici… quand j'étais pas en tournée avec mon père. On peut pas voir d'ici, mais là-bas, de l'autre côté de la grange, y avait plein de petites cabanes en bois pis des roulottes à perte de vue. Ma mère pis ma tante faisaient partie d'un ordre, pis c'est ici qu'y venaient passer leurs étés. Mon père aimait pas ça que ma mère m'emmène ici. Y disait tout le temps que ça allait me mettre plein d'idées bizarres dans la tête… Y avait pas tort, j'imagine.

— Un ordre ?

— Ouais… une gang de *weirdos* qui se réunissaient chaque année pour pratiquer ensemble. Au solstice, le party pouvait durer des jours ! Rien de macabre, là. Juste des familles de sorciers pis de sorcières d'un peu partout qui venaient pour célébrer.

— « Sorcières », hein ?

— C'est comme ça qu'ils se nommaient. Moi j'ai jamais adhéré à ça…

Gabrielle s'est avancée sur le bout de la banquette et a posé sa tête sur ses mains repliées sur le dossier du siège avant. Anthony somnolait, accoté sur le bord de la fenêtre.

— C'est ta mère qui t'a appris tout ça ? a-t-elle demandé à Marianne.

— Pas vraiment… Ma mère a jamais été aussi intense que sa sœur, même si elle a toujours pratiqué, du plus loin que je me souvienne. Surtout à cause de mon père, j'pense. Y a jamais vraiment cru à ça. Quand y a su que moi pis mes cousins, on avait participé à une cérémonie, ça a été le début de la fin entre lui pis ma mère… Elle a fini par partir vivre avec ma tante, et c'est là qu'elles ont ouvert Riddle. Moi j'suis restée avec mon père, mais j'y allais aussitôt que j'avais une chance. C'est surtout Derry qui m'a montré, au début. Après, j'ai pas mal tout appris toute seule, au grand désespoir de ma mère.

— Ta tante… elle m'a dit que…, a balbutié Gabrielle.

— Je sais. Elle m'a écrit pour m'en parler. Ça te fait peur ?

— Comment elle a su ?

Ma tante dirait n'importe quoi à n'importe qui pour vendre ses cossins, Gab… mais elle connaît des affaires sur les gens que personne d'autre peut savoir. Je sais pas comment elle fait, elle a jamais voulu me l'dire. Y en a qui appellent ça de la clairvoyance… Moi j'appelle ça « le pouvoir de suggestion » !

— Dans mes rêves, je… je… c'est niaiseux…

— Tu vois des choses qui sont pas encore arrivées ?

— Mais comment… Ça se peut pas.

— Je t'aiderai, si tu veux. Quand tout ça va être fini, je vais te montrer comment t'en débarrasser… ou comment l'utiliser. Ça se contrôle, t'sais…

Deux faisceaux lumineux sont apparus au bout du chemin. Des phares. Une camionnette blanche, sans fenêtre, s'est arrêtée juste à côté de nous, tirant Anthony du sommeil. Marianne nous a fait signe et nous sommes tous sortis de la voiture, sacs en main.

Un grand garçon mince est descendu du véhicule. Il avait les cheveux mi-longs qui lui tombaient dans le visage, sa mâchoire découpée arborait une barbe de quelques jours. Il avait l'air plus vieux que nous, mais trop jeune pour avoir le droit de fumer légalement la cigarette qu'il venait de s'allumer.

— Marianne Roberts, en chair et en os !

— Salut, Tyler.

Il s'est avancé vers elle pour la prendre dans ses bras.

— *Damn !* Ça fait des années que j'étais pas venu ici ! J'peux pas croire que c'est à l'abandon…

— Merci de faire ça pour moi. Je t'en dois une !

— Arrête ! Ton père m'a sorti d'la marde plus souvent qu'à mon tour. Fais juste attention, l'embrayage fait dur, a-t-il dit en pointant la camionnette. J'te l'ai remplie de gaz, tu devrais pas avoir à en mettre pour un bout. Tu penses me la ramener quand ?

— Demain. Après-demain au plus tard.

— Parfait. Je vais laisser ton bazou dans la cour de Riddle. T'auras juste à l'échanger avec la *van* pis tu donneras les clefs à ma mère.

— Elle posera pas de questions ?

— Je lui ai dit que tu voulais que je fasse des réparations sur ton char… mais tu la connais, elle a su tout de suite que c'était pas vrai. Fais-toi-z'en pas, ta mère sait rien.

Ils ont échangé leurs clefs et Tyler s'est aussitôt dirigé vers la voiture de Marianne. Il nous a salués en portant deux doigts à son front et il s'est installé au volant. Trente secondes plus tard, il avait déjà quitté le terrain.

Marianne a observé la camionnette en soupirant.

— Bon ben… *go* !

✚ ✚ ✚

L'hôpital se dressait devant nous, froid et austère. Je déteste les hôpitaux. Je les ai toujours détestés. Juste l'odeur est suffisante pour que je sente mes jambes ramollir. Mais avec un peu de chance, cette fois-là, je n'aurais pas à y entrer.

Anthony et Gabrielle étaient dans l'établissement depuis un peu plus de vingt minutes… Vingt longues minutes durant lesquelles je me suis promené de long en large autour de la camionnette.

— Calme-toi, Walker. Ça va bien aller.

Marianne n'avait pas arrêté de me dire ça. Pourtant, elle avait l'air aussi nerveuse que moi. Notre plan initial avait été d'entrer tous les quatre dans l'hôpital et d'en ressortir avec Sabrina le plus vite possible. Gabrielle n'était pas tout à fait d'accord. Elle n'avait pas tort. Notre présence aurait été remarquée rapidement et Sabrina n'aurait probablement pas voulu suivre Marianne.

Gab nous avait alors proposé de se rendre discrètement à la chambre de Sabrina avec Anthony. Selon l'état dans lequel ils la trouveraient, elle ne se sentirait sans doute pas menacée. Du moins, nous l'espérions. Marianne, qui avait apparemment pensé à tout, avait refilé quelques morceaux de vêtements à Gab afin que Sabrina puisse enlever sa jaquette d'hôpital. Si tout se déroulait comme prévu, les trois pourraient sortir sans trop attirer l'attention. Nous nous tenions donc prêts à aller les rejoindre avec la fourgonnette afin d'emmener Sabrina en lieu sûr.

Mais plus le temps passait, plus je m'inquiétais. Il devait bien y avoir de la sécurité. Ça ne pouvait pas être aussi simple d'entrer dans l'aile psychiatrique et d'en ressortir avec une patiente.

Marianne s'est adossée à la camionnette, à côté de moi.

— Je veux que tu aies ça.

Elle a fouillé dans la poche de sa veste et m'a tendu un médaillon en argent, accroché au bout d'une ficelle noire. Une étoile à cinq branches entourée d'un cercle.

— Marianne…

— Prends-le. Même si tu veux pas y croire, je m'en fous. Moi, j'y crois. Pis tant que je vais y croire, ça va te protéger… Fais-le pour moi, s'il te plaît.

J'ai pris le médaillon entre mes mains et je l'ai observé. Il était différent de celui qu'elle portait autour de son cou. Plus simple. Plus beau. Et il m'était destiné… C'était plus lourd que ça en avait l'air. Je me suis senti tout drôle, comme toutes les fois où Marianne m'effleurait. Une espèce de vertige que j'essayais d'ignorer, mais qui se manifestait plus intensément à chacune de mes rencontres avec elle.

J'aurais voulu la remercier, la prendre dans mes bras, mais chaque fois, son regard me désarçonnait. Ce n'était peut-être qu'un pendentif ridicule, ça ne voulait peut-être rien dire, mais le fait qu'elle ait pensé à moi, qu'elle me l'offre, ça me donnait l'impression d'être plus près d'elle. Le sentiment d'être considéré comme son égal.

J'ai passé la ficelle noire autour de mon cou et j'ai glissé le médaillon sous le t-shirt que je portais. Je pouvais le sentir sur ma peau, froid et chaud à la fois. Marianne m'a souri avec ses yeux tristes.

— Ça va bien aller, a-t-elle répété.

Alors pourquoi tout en elle me criait le contraire ?

Nous avons tous les deux sursauté en entendant le sifflement. C'était Gabrielle qui venait de passer les portes coulissantes avec Sabrina assise dans un fauteuil roulant. Marianne a sacré à voix basse en se précipitant derrière le volant. D'instinct, je me suis mis à courir dans leur direction alors que Gabrielle continuait de pousser le fauteuil d'un pas rapide pour s'éloigner le plus possible de l'hôpital.

Je suis arrivé à sa hauteur à bout de souffle. Sabrina avait les yeux mi-clos, la tête pendante. Elle portait le vieux jeans de Marianne sous sa blouse bleue de patiente.

— J'ai pas réussi à lui mettre le chandail, elle voulait rien savoir ! m'a dit Gabrielle, sa voix tremblant de panique.

— Anthony ? Il est où, Anthony ?

— Y a fallu improviser… sinon j'aurais jamais réussi à sortir. Il a fait semblant de sauter une coche en plein milieu de l'aile psychiatrique ! Je sais même pas comment y va réussir à se débrouiller pour revenir.

La camionnette s'est arrêtée à côté de nous et Marianne l'a contournée rapidement pour venir ouvrir la portière latérale.

— C'était donc ben long ! a-t-elle lancé en direction de Gabrielle. Aide-moi…

Marianne s'est postée devant le fauteuil roulant pour attraper les jambes de Sabrina qui ne semblait pas vouloir collaborer. Sans crier gare, celle-ci a violemment frappé Marianne au visage.

— *Witch!* a rugi Sabrina avec une voix rauque et grave.

Marianne a reculé en se couvrant le visage d'une main, les yeux exorbités. Je me suis penché vers Sabrina pour l'aider à sortir du fauteuil.

— Viens, Sabrina, on te ramène à la maison, lui ai-je dit doucement.

Elle a fait un geste brusque, comme si je venais de la brûler avec ma main.

— *Touche-moi pas, traître !*

Sa voix m'a fait peur. On aurait dit qu'elle ne venait pas de Sabrina, mais de derrière moi. J'ai regardé Gabrielle pour essayer de comprendre ce qui se passait, si c'était normal qu'elle agisse ainsi, mais avant qu'elle ait le temps de me répondre, Marianne s'était déjà jetée sur elle.

— Écoutez-la pas. Elle essaie juste de nous déstabiliser ! Faut la rentrer dans la *van*, pis vite avant qu'on nous remarque !

Nous nous sommes mis à trois pour la soulever du fauteuil roulant, mais Sabrina s'est mise à se débattre avec force en hurlant comme une petite fille en train de se faire battre.

— NOOOON ! NON ! LÂCHEZ-MOI ! NOOOON !

Le vent s'est levé et la portière s'est refermée d'un coup pendant que nous tentions en vain de contrôler Sabrina. Je me suis dépêché à la rouvrir, mais elle s'est encore refermée aussitôt sans que je puisse y faire quoi que ce soit.

— Retiens-la ! m'a ordonné Marianne entre ses dents.

Plus loin, quelques personnes ont tourné leur attention sur nous. L'une d'elles est entrée en trombe dans l'hôpital. J'ai fait glisser la portière de nouveau en la tenant de toutes mes forces pour ne pas qu'elle se referme. Sabrina a tourné la tête vers moi, mais son visage était méconnaissable, ses yeux étaient tellement rouges que je n'arrivais même plus à distinguer ses pupilles.

— *J'vais vous arracher les yeux ! Vous allez l'payer !*

Sa voix sonnait comme le feulement d'un chat. Jamais auparavant je n'avais entendu quelque chose d'aussi effrayant sortir de la bouche de quelqu'un. Marianne lui a saisi la tête entre ses mains et a approché son visage du sien pour murmurer :

— *Ipse venena bibas.* C'est pas toi qui commandes…

Sabrina s'est remise à hurler de plus belle, comme si Marianne venait de lui verser de l'eau bouillante en pleine face. Puis elle s'est levée d'un bond et a agrippé Marianne par le cou.

— Will, fais quelque chose !! a crié Gabrielle.

Au même moment, j'ai vu Anthony traverser les portes coulissantes en courant et se diriger droit vers nous. Quelques secondes plus tard, deux infirmières et un agent de sécurité ont fait surgi à sa poursuite. J'ai paniqué. J'ai lâché la portière et je me suis projeté sur Sabrina afin de la séparer de Marianne, mais elle continuait de l'étrangler sans que j'aie le moindre impact.

— Danika, arrête ! ai-je crié en essayant d'attraper ses bras.

Elle a soudainement lâché prise et s'est retournée vers moi, l'air surprise. Pendant un instant, son expression a changé. J'ai eu l'impression d'apercevoir Sabrina dans son regard, la même lueur de tristesse qui illuminait ses yeux depuis la mort de Laurie.

Elle s'est redressée comme si elle venait de se réveiller. Elle a regardé autour d'elle tranquillement, puis a ouvert la bouche.

— Je… qu'est-ce qui…

Elle n'a pas eu le temps de prononcer quoi que ce soit d'autre : Marianne l'a frappée tellement fort qu'elle en a perdu l'équilibre et est tombée sur moi. Je l'ai soulevée péniblement pour la traîner vers la camionnette. Marianne est venue m'aider, suivie de Gabrielle, et nous avons propulsé le corps inerte de Sabrina dans la boîte de la *van*. Gabrielle s'est précipitée sur le siège passager pendant que Marianne contournait le véhicule pour reprendre sa place derrière le volant. Je suis entré en vitesse en me cognant sur le toit au même moment où Anthony s'élançait à son tour à l'intérieur. Marianne a fait crisser les pneus de la camionnette en appuyant à fond sur la pédale de l'accélérateur. Le gardien de sécurité a réussi à attraper la poignée de la portière latérale toujours ouverte en courant.

— Hey ! Hey ! Arrêtez ! criait-il.

Mais après quelques pas seulement, il s'est écroulé sur l'asphalte alors que la camionnette quittait le terrain de l'hôpital à pleine vitesse. J'ai réussi à m'étirer vers la portière et je l'ai refermée d'un coup sec avant de m'effondrer sur le plancher froid de la fourgonnette, le souffle court.

— Gab… Gab, c'est toi ? Où est-ce qu'on est ?

Sabrina a levé la tête, l'air complètement perdue. Elle a regardé vers Gabrielle qui a éclaté en sanglots.

— Attachez-la ! a tonné Marianne.

J'ai attrapé les cordes que nous avions préparées et j'en ai lancé une à Anthony. Aussitôt, les yeux de Sabrina ont changé d'expression et elle a gueulé de rage. Elle s'est redressée pour se lancer vers moi, mais au même moment, la camionnette a roulé sur une bosse qui l'a propulsée brusquement à l'arrière du véhicule. Le bruit que son crâne a fait en frappant le métal a résonné dans la boîte de la camionnette, alors qu'elle s'écroulait par terre, inconsciente.

Anthony a tout de suite attrapé ses mains pour les lier avec la corde, puis m'a fait signe de lui en lancer une autre avec laquelle il a attaché ses pieds. Il a vérifié la tête de Sabrina pour s'assurer que nous ne venions pas de lui fendre le crâne en deux, puis il a saisi une des vieilles couvertures qui traînaient pour en faire une boule qu'il a déposée par terre en guise d'oreiller. Il a reculé rapidement vers nous avant de prendre place entre Gabrielle et moi pour s'adosser sur le grillage qui nous séparait des sièges avant.

Nous sommes restés tous les trois immobiles, essayant de reprendre notre souffle, les yeux rivés sur le corps inerte de Sabrina. C'était irréel. J'avais l'impression que rien de ce qui se passait n'arrivait pour vrai. Que c'était impossible. On venait de kidnapper quelqu'un. On venait d'enlever Sabrina. Ça n'avait aucun sens.

Le calme s'est installé dans la camionnette. On n'entendait plus que le rythme constant des roues sur l'asphalte. Marianne venait de s'engager sur l'autoroute en direction de Saint-Hector.

Quelque part au loin, j'ai entendu le tonnerre gronder.

DIX-SEPT

Anthony s'est approché de moi, les mains dans les poches.

— J'espère qu'elle sait ce qu'elle fait, ton *amie*… sinon, on est vraiment dans l'trouble !

À l'aide d'une petite machine de marquage de terrain de sport, Marianne s'est appliquée à dessiner un énorme pentacle en poudre blanche sur la terre battue, aidée par Gabrielle. À travers la noirceur opaque qui régnait sur le ciné-parc abandonné, c'est tout ce qu'on voyait, comme si la poudre était fluorescente.

— Je suis surpris que tu sois venu, ai-je osé à voix basse. Qu'est-ce qui t'a fait changer d'idée ?

Anthony a gardé le silence un moment, hésitant. Il m'a regardé droit dans les yeux.

— Je l'aime, *dude*. Je ferais n'importe quoi pour elle, même si j'y crois pas plus que ça… Comme toi.

— Qu'est-ce tu veux dire ?

— Marianne. On voit tous comment tu la regardes… T'es un bon gars, mon Will, je l'sais que tu fais ça pour aider

Sabrina. Mais je suis pas cave. T'es en train de tomber en amour avec la Roberts. Ça paraît.

Je n'ai rien répondu. D'un côté, il avait raison. De l'autre, je n'avais pas envie que ce soit vrai. Ça ne pourrait jamais fonctionner, de toute façon. Marianne était plus vieille que moi, plus expérimentée. Je n'avais aucune chance... Pourquoi s'intéresserait-elle à un minus comme moi ?

Une fois le cercle refermé sur l'étoile, Marianne l'a contourné de nouveau avec la machine pour former un deuxième cercle. Elle est venue nous rejoindre, suivie de Gabrielle.

— En dessous de la bâche, là-bas, nous a-t-elle dit. Y a tout ce qu'il faut.

— Attends, ai-je lancé. Je comprends pas. Tu nous as dit qu'elle était hantée par sa sœur, pas possédée ! On s'entend, cette fille-là n'a plus rien de Sabrina.

— Je... Je sais pas, Will. Je me l'explique mal. C'est la première fois que je fais ça... Je pensais que Danika voulait l'anéantir. Je me suis dit que peut-être, lorsqu'elle s'est regardée dans le miroir ce soir-là, ça avait confondu l'esprit de sa sœur... Je sais pas de quelle façon un esprit peut évoluer de l'autre côté ni ce que le sacrilège a pu enclencher comme transformation... mais ça me fait peur. On dirait que ça veut prendre la place de Sabrina. Will... malgré ce qu'Ulric m'a dit, ça ressemble plus à un démon qu'à une hantise, pis si on fait rien, on risque de ne plus jamais revoir Sabrina. Pire... ça risque de la tuer. Si Danika existe toujours à l'intérieur d'elle, c'est dangereux : les morts sont pas faits pour revenir. Aucune des deux peut survivre à l'autre dans le même corps.

— Et si c'est pas Danika ? ai-je murmuré.

— Peu importe ce que c'est… on peut plus reculer. On va essayer de le chasser.

J'ai évalué Marianne du regard. Ses yeux… quelque chose dans ses yeux m'a donné envie de me battre. De la croire. J'ai immédiatement attrapé une des lampes de poche dans son sac, sur le siège passager de la camionnette, en jetant un coup d'œil rapide à l'arrière. Sabrina gisait, toujours inconsciente, pieds et mains liés.

— À l'hôpital ! s'est exclamée Gabrielle. À l'hôpital, tout à l'heure, quand elle m'a attaquée… Will l'a appelée « Danika » et ça a semblé la calmer. Ça doit ben vouloir dire quelque chose !

Elle avait raison. J'avais crié le prénom de sa sœur et Sabrina avait immédiatement relâché son emprise sur Gabrielle.

— Peut-être qu'on se trompe, ai-je ajouté. Peut-être que c'est pas Danika qui lui veut du mal, mais qu'au contraire, elle la protège ?

Marianne m'a flatté le bras en me souriant. À voix basse, elle a dit :

— Comme un ange gardien ?

— Ça se peut, non ?

— Si c'est le cas, alors on n'est pas seuls à vouloir l'aider. On va se concentrer là-dessus.

Nous avons observé un moment de silence, chacun perdu dans nos pensées. Au bout de quelques secondes, Anthony a frappé dans ses mains avec un air décidé.

— Bon. Qu'est-ce qu'on attend ? a-t-il clamé.

Nous nous sommes dirigés vers l'endroit que Marianne venait de nous montrer. Elle avait tout prévu. Gabrielle s'est emparée des longs cierges qui avaient été déposés dans des contenants en verre rouge. Anthony s'est saisi des quelques bûches, tandis que j'attrapais la vieille chaise de bureau à roulettes sur laquelle reposait un bouquet d'herbes. Nous avons fait quelques voyages afin de tout apporter près du pentacle pendant que Marianne, les yeux rivés sur un bout de papier, recréait les symboles dans le double cercle à l'aide d'un sac rempli de la même poudre de marquage que la machine.

Nous avons obéi aux instructions de Marianne sans poser de questions. Anthony a allumé un feu dans une des branches de l'étoile alors que je versais de l'eau dans un grand bol de bois posé sur la branche opposée. Gabrielle a dispersé les cierges autour du cercle et, rapidement, leur flamme a commencé à illuminer le terrain de façon macabre, projetant nos ombres dansantes sur le gigantesque écran décrépit du vieux ciné-parc. Marianne a enflammé le bouquet de sauge, qui s'est mis à diffuser sa fumée odorante autour de nous. Finalement, j'ai transporté péniblement le lourd pot dans lequel était planté un petit hibiscus pour le placer dans la dernière branche du pentacle. Dans celle du haut, qui pointait vers l'écran, Marianne a éparpillé divers objets. J'ai cru y déceler un crucifix, mais rendu là, j'étais trop étourdi par ce que nous étions en train de faire pour porter attention.

Lorsque Marianne avait parlé d'exorcisme, je m'étais imaginé Sabrina ligotée sur un lit de draps blancs en train de se faire asperger d'eau bénite. Je n'ai commencé à comprendre que lorsque Marianne a installé le fauteuil de bureau au centre du pentacle.

— Emmenez-la, nous a-t-elle ordonné d'une voix calme.

Anthony et moi avons ouvert les portières arrière de la camionnette, et nous avons soulevé Sabrina pour la transporter jusqu'au fauteuil en prenant soin de ne pas gâcher le travail de Marianne. Après l'avoir installée sur le siège, les filles ont attaché Sabrina à la chaise le plus fermement possible. C'est à ce moment-là qu'elle a ouvert les yeux.

— Gab? Gab, qu'est-ce que tu fais? Ça me fait mal, détache-moi, s'il vous plaît, fais pas de conneries... Où est-ce qu'on est?

Gabrielle a levé les yeux vers Marianne qui a secoué la tête en lui faisant signe de l'ignorer. Mais Sabrina avait vraiment l'air effrayée.

— J'ai peur, Gab… Qu'est-ce que tu fais ? Où est-ce qu'on est ?

Marianne et Gabrielle sont venues nous rejoindre et nous nous sommes éloignés du cercle pour nous mettre en retrait derrière la fourgonnette. Le visage de Gabrielle était déjà inondé de larmes et ses épaules se soulevaient de façon incontrôlable. Anthony s'est posté à côté d'elle pour la prendre par l'épaule en lui frottant le bras. Marianne, l'air grave, s'est penchée vers nous pour nous murmurer le plan.

— Peu importe ce qui arrive, une fois qu'on va avoir commencé, il faut absolument pas que vous entriez dans le cercle. Il est là pour nous protéger d'elle. En théorie, elle devrait pas être capable d'en sortir…

— En théorie ? ai-je lancé.

— Euh, j'ai jamais fait ça moi non plus, tu sauras. Mais c'est la seule option qu'on a ! Y faut forcer l'esprit à s'en aller. Pour ça, faut qu'on reste en position et que vous fassiez exactement tout ce que je vous dis de faire, OK ? D'une manière ou d'une autre, répétez toujours ce que je vais dire.

Anthony, l'air soudainement nerveux, a demandé :

— OK, mais là, tu vas pas nous sortir des formules en latin qui ont pas d'allure ?

— Je pense pas qu'il va falloir aller jusque-là, a répondu Marianne en se voulant rassurante. J'espère, en tout cas, parce que je suis pourrie là-dedans. De toute façon, ça marche juste dans les films, ces conneries-là.

Marianne a soulevé sa main pour la mettre au centre de notre petit groupe. Au bout d'un moment, j'ai posé la mienne sur la sienne, imité rapidement par Gabrielle et Anthony.

— Je sais que c'est bizarre, mais pensez pas à ça. Concentrez-vous sur Sab. Mettez toute votre énergie sur elle. Vous êtes pas initiés… c'est pas grave. Notre force, c'est notre unité. On est une armée. Pis on est plus forts qu'elle. Oubliez-le pas. OK ?

Nous nous sommes échangé des regards nerveux. De l'autre côté de la camionnette, on pouvait entendre Sabrina pleurnicher. Mon cœur s'est mis à battre à tout rompre, comme si j'étais en train de courir. J'ai senti une goutte de sueur parcourir ma colonne vertébrale. Je n'arrivais toujours pas à croire que j'étais là, en train de vivre ça. J'avais la sensation que je rêvais et que le brouillard allait se dissiper d'un instant à l'autre. Que j'allais me réveiller.

Marianne a touché l'épaule de Gabrielle.

— Tu te positionnes au sud. Anthony, tu prends l'ouest. Walker, l'est, et moi je vais garder le nord. Ça va bien aller, OK ? Ça va bien aller… Faites-moi confiance.

Nous l'avons suivie vers le cercle au milieu duquel Sabrina chialait. Marianne a été la première à s'immobiliser, et nous nous sommes placés par rapport à elle. En face de moi, Anthony me regardait, l'air inquiet. Entre nous, au centre, Sabrina continuait de se plaindre.

— S'il vous plaît, faites pas ça. William… je t'en prie. Écoute-la pas, est folle. C't'une folle, tout le monde le sait. *Come on*, William !

— Tais-toi ! lui a ordonné Marianne.

Sabrina s'est aussitôt mise à grogner en tournant sa tête vers elle. D'une voix d'outre-tombe, elle a vociféré dans sa direction :

— *Je leur avais dit que t'étais le mal incarné, sorcière ! Salope !*

Marianne ne l'a même pas regardée. Elle a levé ses bras de chaque côté d'elle, paumes vers le haut, en nous faisant signe de l'imiter. De façon synchronisée, nous avons élevé nos paumes dans les airs et le vent s'est levé autour de nous. Sabrina a commencé à hurler.

— Nous nous adressons à toi qui possèdes Sabrina…

NOOOON ! NOOOOON !

— Nous nous adressons à toi, avons-nous répété.

ARRÊTEZ!

— Nous t'ordonnons de quitter notre amie Sabrina Viau!

AAAAAAAH! JE VAIS TE TUER!

— Nous te chassons au nom de tout ce qui est pur et bon!

AAAAAAAAAAAAAAAAAH!

— Par les pouvoirs de l'air, de l'eau, du feu et de la terre, par le pouvoir de l'esprit, nous te chassons!

JE VOUS EMMERDE! JE VOUS EMMERDE TOUS!

— Nous t'ordonnons de quitter notre amie Sabrina Viau!

Des mots déformés ont commencé à sortir par la bouche de Sabrina, une langue que je ne reconnaissais pas, qui ne ressemblait à rien de ce que j'avais déjà entendu, comme si plusieurs voix parlaient en même temps à travers elle. J'ai eu l'impression que le vent tournait autour de nous. Je pouvais sentir l'énergie qui se dégageait du cercle que nous formions, je pouvais presque la voir.

Le visage de Sabrina, illuminé par le feu qui brûlait au sud, s'est décomposé. Les ombres lui donnaient un air inhumain. Personne, parmi les gens qui la connaissaient de près ou de loin, n'aurait pu la reconnaître.

— Entends-nous ! a tonné Marianne.

— Entends-nous ! avons-nous répété.

— Tu n'as pas de pouvoir ici. Retire-toi ! Ce que tu offres est mal. Ravale ton poison !

— Tu n'as pas de pouvoir ici. Retire-toi ! Ce que tu offres est mal. Ravale ton poison ! Tu n'as pas de pouvoir ici…

Nous avons répété ces phrases en harmonie, de plus en plus rapidement, nos torses se déplaçant d'avant en arrière comme au rythme d'une chanson. Les mots semblaient percuter Sabrina, et plus nous les répétions, plus elle se tordait de douleur. Les flammes des cierges ont doublé de volume, je pouvais sentir la chaleur qu'elles dégageaient sur le dos de mes mains.

Nous avons continué l'incantation pendant que Marianne criait de plus belle :

— Nous te chassons ! Nous t'ordonnons de quitter Sabrina et de retourner d'où tu viens ! Tu n'es pas bienvenu ici ! Nous te chassons au nom de…

Sabrina s'est mise à faire sauter la chaise dans tous les sens en gueulant à pleins poumons. J'avais la sensation que son cri me transperçait, parcourait chaque parcelle de mon corps. J'en tremblais. La chaise a fini par rompre sous l'impact et Sabrina a réussi à se libérer des cordes avec lesquelles nous l'avions attachée. En une fraction de seconde, elle était sur pied et tournait sur elle-même, comme si elle cherchait une issue mais n'arrivait pas à se décider.

J'ai fermé les yeux pour me concentrer sur les paroles que je répétais, mais je pouvais entendre sa respiration haletante. J'avais l'impression qu'elle était à quelques centimètres de mes oreilles. J'ai cru sentir la terre trembler sous mes pieds, le vent se mettre à souffler plus fort. Le tonnerre a grondé quelque part au loin ; on l'a entendu résonner dans le ciné-parc abandonné.

J'ai ouvert les yeux pour constater que Sabrina se tenait juste devant moi et me regardait en souriant, les yeux injectés de sang. Sans m'en apercevoir, j'ai arrêté de réciter les paroles. J'étais terrifié.

— *William Walker !* a-t-elle craché dans ma direction.

Elle venait de prononcer mon nom. Quelque chose en moi s'est déclenché, comme si la peur venait de m'abandonner soudainement. Je ne pensais plus à rien. Il n'y avait plus qu'elle et moi dans le noir. Une ultime confrontation. Marianne nous avait assuré que tant que nous demeurions à l'extérieur du cercle, elle ne pourrait pas s'en prendre à nous… Je n'avais donc rien à craindre.

J'ai baissé les bras lentement, en continuant de la fixer. J'avais l'impression que dès la minute où je détournerais les yeux, je perdrais mon emprise sur elle.

— Danika…

Son expression a changé subitement. Pendant une fraction de seconde, j'ai revu ce regard triste traverser son visage, comme un éclair. J'ai tout de suite su pourquoi il m'avait été aussi familier à l'hôpital : elle nous avait lancé le même avant de fracasser le miroir de sa salle de bain… C'était le regard de Danika.

Elle était là, avec Sabrina, depuis le début. Seulement, elle n'était plus seule maintenant… Si nous avions libéré l'esprit de Danika grâce au jeu de **OUIJA** ce soir-là, nous avions aussi libéré quelque chose de démoniaque qui avait dû s'attacher à elle d'une façon ou d'une autre. Je savais ce que je devais faire, il fallait que ce soit ça. Je n'avais rien à perdre, de toute manière.

— Danika… si tu es là, quelque part à l'intérieur de Sabrina, il faut que tu te battes.

Son visage s'est assombri.

— ARRÊTE ! a crié Sabrina en reculant d'un pas.

— Danika… Il faut que tu la laisses aller.

Sabrina avait maintenant l'air affolée.

— Qu'est-ce que tu fais ? Arrête !!

Les paroles de Marianne me sont revenues en tête.

— Aucune des deux ne peut survivre dans le même corps, Danika... Tant que tu restes, le mal qui t'accompagne va rester. C'est le seul moyen de la protéger!

Sabrina a reculé de nouveau vers le centre du cercle en hurlant de rage dans ma direction.

— Ils ont aucun pouvoir sur toi! Ils ont aucun pouvoir ici! Faut que tu te battes!

Le sol s'est mis à trembler et j'ai entendu un grincement assourdissant nous entourer.

— William! a crié Anthony, les yeux sortis de leur orbite.

Il a pointé quelque chose en arrière de moi. J'ai à peine eu le temps de me retourner; l'immense écran était en train de me tomber dessus. Je suis tombé à la renverse, tête la première.

La douleur s'est diffusée en moi comme un éclair. Dans les ténèbres, j'ai entendu mes propres cris parvenir jusqu'à moi, mais je n'étais plus dans mon corps. J'étais loin, envahi par les ténèbres. Je n'étais plus que la douleur que je ressentais. J'avais beau essayer de bouger, mes membres ne répondaient plus. J'étais pris au piège à l'intérieur de moi-même. J'ai cru voir un visage devant moi, comme des flammes qui me dévisageaient dans le noir. Plus je tentais de focaliser sur ses yeux, plus le visage s'embrouillait. Puis j'ai entendu la voix de Marianne en écho. *Lâche-le*, disait-elle.

Le visage enflammé a commencé à prendre forme, et petit à petit j'ai réalisé que je voyais Sabrina au-dessus de moi, dans un nuage de poussière. Elle était à cheval sur mon torse et me regardait en riant. J'ai essayé de bouger, mais mes jambes étaient écrasées par la tôle de l'écran. J'ai ressenti la douleur se répandre de nouveau dans mon corps, comme si quelqu'un venait d'enfoncer des couteaux dans mes os. J'ai hurlé.

J'ai compris que j'étais étendu à l'intérieur du cercle au moment où Sabrina a saisi ma gorge avec ses deux mains. Je n'arrivais plus à respirer. Ma vue s'est brouillée de nouveau. Tout ce que je distinguais, c'était l'affreux rictus de Sabrina, qui m'observait avec un amusement cruel pendant que la vie quittait mon corps. J'ai essayé de me débattre, de la frapper, mais j'avais l'impression que mes bras pesaient une tonne.

J'étais sur le point d'abandonner quand la voix de Marianne a résonné clairement dans ma tête. *Reste avec moi, Walker. Abandonne-moi pas.* Je me suis senti léger, comme en apesanteur. Une chaleur étrange a envahi mes tripes et a semblé prendre vie, se propager dans mon corps pour me donner de la force. J'ai contracté mes abdominaux et j'ai réussi à me redresser brusquement afin que mon front percute de plein fouet le visage démoniaque de Sabrina. Je suis retombé sur le dos. Le choc a résonné dans mon crâne et j'ai cru pendant un instant que je venais de m'ouvrir la tête en deux tellement la douleur était violente. Sabrina a aussitôt été propulsée sur le côté et s'est mise à gémir en se positionnant à quatre pattes. Juste à côté d'elle, un des contenants de verre qui abritaient un cierge avait éclaté en morceaux sous l'impact de l'écran. Elle a fermement attrapé un tesson. J'ai vu du sang couler le long de son poignet.

Elle s'est élancée de nouveau vers moi en levant le bras dans les airs pour me poignarder, mais j'ai vu Marianne apparaître derrière elle et lui saisir les poignets. Sabrina a hurlé de rage en se débattant, mais les yeux de Marianne m'ont apaisé. *Reste avec moi*, m'avait-elle dit en pensée… C'était elle, j'en étais persuadé. J'étais incapable de bouger, mais au plus profond de mon être, j'ai eu la certitude que tout irait bien. Marianne nous l'avait tellement répété ! J'y croyais.

Puis, j'ai senti quelque chose de brûlant sur ma poitrine. J'ai cru que ça y était, que Sabrina avait réussi à me planter le morceau de vitre en plein thorax. J'ai paniqué en me tâtant le torse alors que Marianne essayait toujours de contrôler Sabrina, hors d'elle. Ses mots me sont revenus… *Tant que j'y crois, ça va te protéger.*

J'ai relevé la tête pour attraper le pendentif et, sans même y penser une seconde, j'ai passé la ficelle autour du cou de Sabrina qui s'est immédiatement immobilisée, la bouche béante, les yeux révulsés. Il y a eu un coup de tonnerre fracassant, et j'ai cru voir la foudre tomber par terre à quelques pas de moi. Sabrina a laissé tomber le morceau de verre qu'elle tenait entre ses mains et un grand cri est sorti d'elle en tournoyant autour de nous, comme un coup de vent, faisant voler les objets dans tous les sens. Les chandelles se sont toutes éteintes en même temps.

Dans l'obscurité, à travers mes yeux remplis de larmes, j'ai cru apercevoir une lueur autour de Sabrina, un spectre bleuâtre qui se détachait d'elle. Pendant un instant, il y a eu deux Sabrina au-dessus de moi… L'une hurlait. L'autre me regardait d'un air triste. Le cri a cessé brusquement et Sabrina s'est affalée sur le sol à côté de moi. La lueur s'est évaporée aussi rapidement qu'elle était apparue, et le calme est revenu sur le ciné-parc. Seul le crépitement du feu se faisait entendre un peu plus loin.

Anthony s'est penché sur moi.

— Will ! Will, es-tu correct ? Es-tu correct ?

J'ai senti une goutte froide tomber sur mon visage. Puis une autre. Suivie d'une autre. Et il s'est mis à pleuvoir. J'ai eu envie de rire. C'était plus fort que moi. Je me suis esclaffé de façon incontrôlable alors que le ciel nous tombait sur la tête. J'avais l'étrange impression d'être libéré. Je riais et je pleurais en même temps.

Anthony s'est penché sur ce qui restait de l'écran pour essayer de déprendre mes jambes. J'avais mal, mais à travers mes larmes, je continuais de ricaner comme quelqu'un qui aurait perdu la raison.

Des lumières rouges et bleues se sont alors mises à tournoyer au loin, illuminant le nuage de fumée qui s'échappait de l'endroit où le feu avait brûlé quelques instants auparavant. Pendant qu'Anthony se débattait avec la tôle et que Gabrielle berçait Sabrina qui reprenait peu à peu connaissance, Marianne m'a regardé. Même dans la noirceur, ses yeux semblaient briller. Je l'ai vue me sourire à travers la pluie.

Lorsque les policiers ont fait irruption sur le terrain abandonné du vieux ciné-parc de Saint-Hector, Marianne avait déjà pris la fuite.

DIX-HUIT

— Salut…

J'ai levé les yeux de mon livre pour apercevoir Marianne Roberts qui se tenait devant moi. Ses cheveux étaient plus pâles qu'avant, brun-roux. Sa mèche de couleur avait disparu et elle portait l'uniforme de l'école selon les normes en vigueur, une jupe courte dévoilant ses jambes. Elle aurait pu se fondre aisément parmi les autres élèves, mais elle avait tout de même gardé ses bottes noires. Elle n'était pas maquillée. J'ai eu le sentiment de la voir vraiment pour la première fois, sans artifices. La Marianne que j'avais en face de moi n'avait rien d'une légende ou d'une sorcière. C'était une fille ordinaire… et incroyablement belle.

Je me suis levé péniblement. Ça devait faire deux heures que j'étais installé sous le chêne en train de relire, pour la quatrième fois, mes notes en préparation de mon examen final prévu pour la dernière période. Après, j'aurais officiellement terminé mon secondaire II au collège Anna Caritas. Ne restait qu'à espérer que mes notes soient assez décentes pour que j'y sois réadmis l'année suivante.

J'ai revêtu ma chemise, que j'avais enlevée une heure plus tôt, la chaleur étant devenue insupportable. Ça me gênait que

Marianne me voie juste en camisole. Déjà que ses yeux me transperçaient chaque fois qu'elle me regardait, en camisole, j'avais l'impression d'être tout nu face à elle.

J'avais de la misère à me tenir debout sans ma béquille. Ma jambe droite était toujours dans le plâtre, mais au moins, la douleur diminuait de jour en jour.

— C'est rare que je te trouve tout seul !

— Gab pis Anthony avaient pas d'examen ce matin. Ils devraient arriver après le dîner.

Nous nous sommes dévisagés pendant un court moment. Je ne savais pas quoi dire ni comment agir. J'avais revu Marianne quelques fois depuis notre nuit au ciné-parc, mais un malaise s'était établi entre nous. Je n'aurais pas su dire pourquoi. On s'était contentés de parler de tout et de rien, comme si rien n'était arrivé, mais c'était quand même là, dans nos silences.

Les parents de Sabrina n'ont pas porté plainte. Ils auraient pu. Je crois qu'ils étaient juste soulagés de retrouver leur fille dans son état normal… du moins, plus normal que durant les semaines qui avaient précédé. Ils étaient furieux, évidemment, mais les policiers avaient cru à notre histoire de feu de camp. Nous n'étions pas les premiers à utiliser le terrain vacant pour aller faire la fête, l'endroit est réputé pour ça dans tout Saint-Hector. Heureusement, l'orage avait effacé pratiquement toute trace de la cérémonie que nous venions de faire, alors ils n'avaient rien vu d'anormal. La chute de l'écran avait créé assez de chaos autour pour que ça n'ait aucun sens à leurs yeux.

J'avais dû abandonner mes amis. Une ambulance m'a emporté à l'hôpital le plus proche afin de soigner mes jambes meurtries. Ma mère y était arrivée quelques minutes après moi, dans un état proche de la crise de nerfs. Mais lorsqu'elle a su que j'avais failli finir broyé sous l'écran, elle a gardé ses sermons pour plus tard. Je m'en suis finalement tiré avec une jambe cassée à trois endroits et beaucoup d'égratignures sur l'autre. Sur le chemin du retour, elle m'a fait la morale avec vigueur et m'a fait promettre de ne plus jamais oser quelque chose de similaire. Nous avions, selon les apparences, arraché Sabrina de l'aile psychiatrique où elle avait été admise suite d'une crise psychotique violente. C'était hautement irresponsable.

Je n'ai revu Anthony et Gabrielle que le lundi suivant, à l'école. Aucun des deux n'a mentionné ce que nous avions fait dans la nuit du vendredi. Il n'y avait rien à dire. Peut-être qu'en l'ignorant, nous finirions par croire que ce n'était qu'un rêve. Pourtant, de l'intérieur, je bouillais d'en savoir plus, de mettre des mots sur ce que nous avions vécu. Avais-je vraiment chassé une entité démoniaque du corps de Sabrina en lui passant un pendentif autour du cou ? Ça me paraissait trop simple. Trop Facile. Qu'en était-il de Danika ? J'ai cru la voir, quelque part entre la chute de l'écran et l'arrivée des policiers, mais tout était flou dans ma tête. Rien n'avait de sens. Des moments de la soirée me revenaient par flashes, mais je ne savais pas si je pouvais faire confiance à mes souvenirs. C'était embrouillé.

Après quelques jours passés en psychiatrie, Sabrina est revenue à l'école dans l'indifférence générale. Les élèves étaient trop pris par les examens de fin d'année pour se soucier de sa réapparition. Elle avait été absente si longtemps que la majorité avaient fini par supposer qu'elle avait simplement été malade. Une pneumonie, disaient certains. Un cancer, affirmaient les autres. Personne n'avait posé de questions.

Si Sabrina portait les traces physiques de son exorcisme, elle a réussi à les dissimuler astucieusement. Elle est arrivée ce matin-là le visage maquillé, les cheveux fraîchement teints d'un blond plus pâle que d'habitude, presque blanc. Elle est passée devant nous sans même nous lancer un regard et s'est dirigée tout droit vers Demetra et Rosalie.

Gabrielle en a pleuré de rage. Elle l'avait textée plusieurs fois, mais ses messages étaient demeurés sans réponse. Pourtant, Sabrina avait retrouvé son téléphone cellulaire, elle le consultait chaque fois qu'elle en avait l'occasion. Elle avait juste décidé de nous ignorer.

— Comment tu vas ? m'a finalement demandé Marianne pendant que nous marchions vers l'école.

— Ça irait mieux si je pouvais me déplacer sans ma béquille. Mais sinon, ça va. C'est notre dernière journée.

— Ouais, chanceux! Moi, j'ai encore deux examens demain.

Elle m'a aidé à monter les marches de pierres et m'a tenu la porte le temps que je réussisse à entrer dans l'établissement. Je commençais à avoir le tour avec ma béquille, même si mon bras en souffrait terriblement. Elle m'a escorté jusqu'au vieil ascenseur près du gymnase. C'était bien le seul avantage à être handicapé : je n'avais plus à monter les quatre étages à pied.

— Tu montes avec moi ? lui ai-je lancé en souriant.

Elle est entrée dans la boîte métallique et la porte s'est refermée lourdement.

— Samedi, si tu veux, j'ai invité Gab chez moi. J'aimerais ça que tu viennes. S'il fait beau, on va pouvoir profiter du lac.

L'ascenseur s'est arrêté au troisième étage avant que j'aie le temps de lui répondre. C'était peut-être mieux comme ça. Je n'aurais pas su comment décliner son invitation, même si au fond, j'avais envie d'être avec elle. Il ne s'était pas passé une journée sans que je pense à Marianne Roberts, sans arrêt. Seulement, je savais qu'Anthony ne voudrait pas y aller. Il m'avait avoué à contrecœur qu'il n'aimait pas trop que Gabrielle se rapproche de plus en plus de Marianne depuis l'événement au ciné-parc. Il avait l'impression d'être en train de la perdre.

Il avait pété un plomb la veille, lorsque Gabrielle avait dit qu'il se passait toujours des choses étranges dans la ville et qu'elle était persuadée que nous n'avions pas tout réglé. Elle venait de nous confier qu'elle avait rêvé à Maddox, encore une fois, et qu'une ombre le guettait. Anthony était hors de lui.

— Est-ce qu'on peut oublier c'te maudite histoire-là pis juste passer un bel été ensemble ? C'est-tu trop demander ?

Gabrielle n'avait pas osé lui répondre quoi que ce soit. Malgré tout, la tension était toujours palpable entre eux deux, et le fait qu'elle se permettre de donner plus de crédibilité à ses rêves le faisait perdre patience. Il la voyait sous un nouveau jour, et elle, elle le voyait tel qu'il était : impatient et rationnel, préférant faire semblant que tout ce que nous avions vécu dans les dernières semaines n'existait pas.

Marianne m'a aidé à sortir de l'ascenseur en me soutenant d'une main, mon sac à dos dans l'autre. Nous nous sommes mis en retrait pour être loin des oreilles indiscrètes. Son visage était si près du mien que je pouvais sentir son parfum, les arômes enivrants de son shampoing. En me plongeant dans son regard, j'en ai presque oublié que nous étions dans les corridors d'Anna Caritas. Il n'y avait plus qu'elle.

— Sabrina ne nous adresse plus la parole…, ai-je dit à voix basse.

— Tant mieux. Ça veut peut-être dire qu'on a vraiment réussi à se débarrasser de ce qui la tourmentait. En fait… c'est toi qui as réussi. Toi, et sûrement ce qui restait de sa sœur jumelle. T'as dit ce qu'il fallait… t'as fait ce qu'il fallait! Ton médaillon, ça a probablement juste amplifié la protection que Danika exerçait déjà sur elle.

Marianne a souri, comme si elle était satisfaite et triste à la fois.

— C'était *ta* protection, Marianne. J'ai pas pensé. Je me suis juste dit que si c'était bon pour moi, ce devait l'être pour elle aussi… J'arrive toujours pas à comprendre comment tout ça a pu se passer.

— J'en ai reparlé à Ulric. Il comprend pas trop lui non plus comment un démon a pu s'attacher à un esprit comme Danika pour ensuite prendre une forme aussi destructrice. Il m'a parlé d'un truc avec les miroirs qui seraient des portails, comme le reflet de la réalité, mais déformé. Il pense que c'est à ce moment-là que ça a dû se passer. La catoptromancie, c'est une science obscure qui est pas beaucoup étudiée parce que c'est une des plus dangereuses… Il m'a promis de faire plus de recherches là-dessus.

— La catop quoi?

— Une vieille forme de magie par la réflexion, on n'aurait jamais pu trouver ça dans tous les livres qu'on avait. Will... l'important, c'est qu'on ait libéré Sabrina. Ulric dit que les véritables cas de possession, c'est très rare... mais il a pas démenti tout ce que je lui ai raconté. Si on n'avait rien fait, le démon aurait probablement réussi à la posséder complètement, ange gardien ou non.

— Pis l'église ? Tu penses que c'est elle ?

— Dur à dire... Faudrait le demander à Sabrina. Encore là, si ça se trouve, elle ne se rappelle pas de ce qui s'est passé. Est-ce que c'était vraiment elle, le démon ou bien Danika qu'on voyait ? J'imagine qu'on le saura jamais.

— Mais les feux, les chats, les...

— C'est certain qu'il y a d'autre chose à l'œuvre. Je sais pas quoi, mais je suis sûre que ça a pas de rapport avec Sabrina Viau. Sérieusement, je pense qu'on a fait ce qu'y fallait faire, Walker. Le reste, ça nous regarde pas. Oublie tout ça, OK ? Des fois, vaut mieux pas chercher plus loin... Je parle par expérience.

J'ai réalisé que nous n'étions plus qu'à quelques centimètres l'un de l'autre. J'ai vu un éclair de panique traverser son regard, puis elle a reculé d'un pas. La première cloche sonnant la fin de l'heure du lunch a retenti dans le corridor. Marianne a interrogé sa montre avant de m'annoncer qu'elle devait y aller, que son examen était à l'autre bout de l'école.

Je l'ai regardée s'éloigner jusqu'à ce qu'elle disparaisse au bout du couloir.

J'étais le premier arrivé dans la salle de classe, à la grande surprise de madame Valois. Je me suis assis à mon bureau, nerveux. Je ne l'étais pas à cause de mon examen. J'étais prêt, j'avais étudié. J'étais nerveux à cause du regard de Marianne et de ce que ça pouvait signifier pour l'été à venir.

Pour la première fois de ma vie, j'ai été un des premiers à sortir d'un examen de français, sous le regard ébahi d'Anthony, qui n'avait pas l'air d'être rendu à la moitié du questionnaire.

En prenant mon temps, je me suis rendu au deuxième étage afin de vider ce qu'il restait dans mon casier. Quelques livres, un vieux lunch moisi, une paire de baskets et un tas de papiers chiffonnés dans le fond de la case. J'ai tout foutu dans mon sac à dos, sauf le vieux lunch, en prenant soin d'y mettre aussi mon cadenas. Avant de descendre, j'ai lancé un dernier coup d'œil à mon casier, soulagé d'être passé au travers d'une autre année d'école sans trop de difficulté. La prochaine, paraissait-il, serait moins évidente.

Je me suis installé au soleil dans les marches devant la sortie de l'aile est, comme d'habitude, pour attendre Anthony et possiblement Gabrielle et Marianne. Je songeais au lac devant le manoir des Roberts et je m'imaginais plonger du quai, nageant librement sans ce foutu plâtre. Les médecins avaient dit six semaines. J'espérais que ce soit moins que ça. Un été sans ma jambe serait un véritable calvaire.

— T'attends tes ti-n'amis, Scoubidou ?

J'ai levé la tête pour apercevoir Maddox Gauvin devant moi au pied des marches. Il était accompagné de deux autres garçons. Celui à sa droite se nommait Lohan. Je le savais parce que c'était l'ailier fort des Malabars d'Anna Caritas. À sa gauche, Justin Chen… Je ne savais pas qu'il était revenu à l'école, ni quand. Bizarrement, personne n'en avait parlé. Si oui, la rumeur ne s'était pas rendue jusqu'à moi. La dernière fois que je l'avais vu, il était en train de se jeter du toit de l'école.

— Salut, Maddox.

Si Sabrina semblait redevenue elle-même, il n'en était rien pour Maddox. Il arborait toujours son petit air arrogant, au-dessus de ses affaires. Si Anthony avait été là, je me serais senti plus en sécurité. Mais là, tout seul devant trois des plus grands élèves de l'école, je me suis senti petit et vulnérable.

— Ça a l'air que tu te tiens ouvertement avec la Roberts, maintenant ?

— Qu'est-ce que ça peut ben t'faire ?

— Tu joues avec le feu, *man* ! Je t'aurai averti.

— *Check*, Maddox, je sais pas c'est quoi ton problème, mais sérieux, trouve-toi quelqu'un d'autre à écœurer, OK ? L'année est finie.

Justin s'est avancé vers moi, l'air froid. Jamais avant il ne m'avait adressé la parole, et voilà qu'il me tendait la main. Ne sachant pas trop comment réagir, je lui ai serré la pince.

— Laisse-le faire, il est jaloux, on dirait, m'a-t-il dit en me souriant. Je m'appelle Justin. Lui, c'est Lohan.

J'ai hoché la tête en direction de Lohan, qui m'a renvoyé mon salut le plus sérieusement du monde. Je suis resté silencieux, ma main dans celle de Justin qui ne semblait pas vouloir me la rendre. Il s'est retourné vers Maddox.

— Il a une bonne carrure, ton ami, Mad. Ça nous ferait une bonne recrue pour l'année prochaine.

— Tu finis pas cette année, toi ? l'ai-je interrogé avant même que je réalise que les mots sortaient de ma bouche.

Justin Chen m'a dévisagé un instant avant de me sourire à nouveau. Son attitude était étrange et déconcertante.

— Je reprends mon secondaire V l'année prochaine, je viens de régler ça avec sœur Denise. Alors on va se revoir en septembre, William Walker.

Comment connaissait-il mon nom ? Qui lui avait parlé de moi ? Il a retiré sa main avant de s'éloigner avec Lohan et

Maddox qui continuait de me regarder d'un air mesquin. J'étais maintenant persuadé qu'il cachait quelque chose. Avions-nous réveillé plus qu'un esprit ce soir-là ? Qu'est-ce qui pouvait bien hanter les nuits de Maddox Gauvin pour qu'il agisse ainsi ? Il fallait que j'en parle avec Gabrielle. N'avait-elle pas, après tout, rêvé à lui ?

J'ai été tiré de ma rêverie lorsque Sabrina Viau a soudainement fait irruption par la porte, accompagnée de Demetra et Rosalie. Elle a posé ses lunettes fumées devant ses yeux en s'esclaffant à propos de quelque chose que Rosalie venait de dire.

Instinctivement, je lui ai souri.

— Salut, Sabrina…

C'est sorti sans que je m'en aperçoive. Après ce que nous avions vécu, il m'apparaissait de mise que je lui dise bonjour en la voyant. Elle a dévalé les marches sans me répondre. Rendue un peu plus loin, je l'ai entendue dire aux deux filles qu'elle les rejoindrait, pour la voir faire demi-tour et se diriger droit sur moi. Je lui ai souri à nouveau, mais son expression était froide.

Elle a ôté ses lunettes et m'a regardé directement dans les yeux.

— Écoute-moi ben, chose… J'suis pas ton amie. Je l'ai jamais été. Ça fait que sens-toi pas obligé de me dire salut quand tu me vois ou de m'faire tes p'tits sourires niaiseux. Après c'que vous avez fait, tu peux être sûr que j'veux pus rien savoir de vous autres, pis surtout pas d'*elle* ! OK ? Bye !

Elle m'a fixé pendant un moment, les sourcils froncés. Sur son front, je pouvais encore apercevoir la bosse violacée, résultat du coup de tête que je lui avais donné alors qu'elle, ou ce qui la possédait, tentait de me poignarder. Pourtant, quelque chose en moi refusait de lui en vouloir. Rien de tout ça n'était sa faute. Elle a traversé sa vie hantée par sa sœur jumelle décédée… et lorsqu'elle a essayé d'en parler, on l'a enfermée dans un hôpital psychiatrique. Ça explique sans doute pourquoi elle est aussi détachée depuis toujours. Aussi froide.

Sabrina a tourné les talons et a couru vers ses amies qui l'attendaient un peu plus loin. Je n'ai pas pu m'empêcher de sourire.

— Bon été quand même ! lui ai-je crié en riant intérieurement.

Par l'ouverture de sa blouse, j'avais vu distinctement qu'elle portait toujours mon pendentif autour de son cou. C'était bon signe.

✚ ✚ ✚

Nous nous sommes rendus tous les quatre manger un cornet de crème glacée à la crémerie de la rue Principale pour célébrer la fin de notre année. J'ai payé la traite à tout le monde. Je savais que Marianne ne s'était pas encore trouvé un nouveau boulot et que Gab n'avait pas un rond. Pour me remercier, Marianne a proposé de venir nous reconduire chez nous.

Nous venions de déposer Gabrielle et Anthony devant la maison de la mère à Gab. Ils avaient prévu de se faire venir une pizza et de regarder un film en amoureux dans le confort de l'air climatisé qu'elle avait installé dans sa chambre. Moi, je n'avais pas envie de m'imposer. Plus ils passeraient de temps ensemble, plus vite ils répareraient les pots cassés. Avec un peu de chance, en quelques semaines, ils auraient laissé derrière eux leur différend. Je me voyais mal, désormais, passer mon été sans l'un ou l'autre.

Marianne a tourné sur l'Avenue et a immobilisé la voiture devant ma maison. Je n'avais aucune envie d'y entrer et d'aller endurer mes deux petites sœurs et ma mère, qui me poserait, fidèle à elle-même, beaucoup trop de questions sur le déroulement de mon dernier examen. Je me suis retourné vers Marianne qui me souriait encore avec son regard triste.

— Tu m'as jamais répondu pour samedi… Ça serait vraiment le fun que tu viennes. Je peux même venir te chercher, si tu veux.

— J'aimerais vraiment ça. Appelle-moi samedi matin, je vais voir si je peux.

J'aurais dû sortir de l'auto à ce moment-là, mais je n'avais pas envie de bouger. Mes yeux étaient plongés dans ceux de Marianne et quelque chose me disait qu'elle n'avait pas envie, elle non plus, que je rentre chez moi.

— Je t'ai entendue, t'sais… ce soir-là quand l'écran m'est tombé dessus. Dans ma tête, j'ai entendu ta voix.

— William…

Je me suis penché vers elle, le cœur dans les tempes, sans réfléchir, sans même y penser. C'était viscéral. Nécessaire. Je l'ai embrassée. Elle a semblé surprise sur le coup et puis, quand je suis venu pour me retirer, elle a agrippé mes cheveux par-derrière et m'a attiré vers elle pour me rendre mon baiser avec intensité.

J'aurais voulu que ça ne s'arrête jamais. Jamais auparavant je n'avais ressenti ça. Ça m'habitait complètement. Plus rien n'existait autour de nous, comme si nous étions seuls au monde. J'ai eu la sensation qu'on flottait dans les airs, que plus jamais je n'aurais mal… mais elle m'a repoussé en détournant son regard.

— Quoi ? Qu'est-ce qu'y a ?

— Je peux pas, William. Je *peux* juste pas.

— Je comprends pas… je…

— Je voudrais tellement, t'as pas idée. Mais y a des choses que tu sais pas sur moi pis je peux pas te dire quoi… C'est juste trop dangereux.

Je me suis reculé pour l'étudier, en essayant de comprendre si elle était vraiment sérieuse ou non, mais la larme qui coulait sur sa joue venait de me donner ma réponse. J'ai froncé les sourcils pour ne pas la laisser voir à quel point ce qu'elle venait de me dire m'atteignait. Pendant un court instant, j'avais été l'adolescent le plus heureux du monde, et elle venait de m'anéantir en deux phrases.

Je venais de comprendre que ce n'était pas de la tristesse que j'apercevais dans ses yeux. C'était de la pitié. Elle savait, depuis le début, que j'étais en train de tomber amoureux d'elle et que jamais nous ne pourrions être ensemble.

J'ai claqué la portière de la voiture et je suis entré chez moi aussi vite que me le permettait ma béquille. J'avais le cœur dans la gorge, j'avais envie de me mettre à frapper tout ce que je voyais. Si je m'étais retourné, j'aurais peut-être vu qu'elle pleurait, le visage enfoui dans ses mains. J'aurais réalisé que c'était contre moi qu'il fallait que je sois en colère, pas contre elle. Si je m'étais retourné, j'aurais fondu en larmes, moi aussi, en voyant la voiture tourner le coin.

Si je m'étais retourné, j'aurais peut-être remarqué la silhouette sombre, de l'autre côté de la rue, qui m'épiait.

Ce livre appartient à :

Texte de Jillian Harker
Illustrations de Daniel Howarth

Parragon Books Ltd
Queen Street House
4 Queen Street
Bath BA1 1HE, Royaume-Uni

Réalisation : InTexte Édition

ISBN 978-1-4075-3548-7

Imprimé en Indonésie
Printed in Indonesia

Papi, je t'aime !

Petit Ours et Papi marchaient le long de la rivière quand Petit Ours aperçut un poisson se faufilant sous l'eau.

« Vite, Papi ! » cria-t-il.

Petit Ours se précipita dans l'eau,
attrapa le poisson et le montra fièrement
à Papi.

Papi sourit. « Que tu es rapide, Petit Ours, dit-il. Je me souviens bien de l'époque où j'étais aussi rapide que toi. »

Il commença à traverser la rivière et se tourna vers Petit Ours.

« Mes pattes étaient aussi fortes et rapides que les tiennes. Aujourd'hui, j'ai trouvé un moyen plus simple de me procurer mon repas. »

« C'est vrai, Papi ? demanda Petit Ours. Qu'est-ce que c'est ? »

« Regarde, je suis beaucoup plus habile aujourd'hui, répondit Papi. » Il s'arrêta sur un rocher.

« Je me poste là, au-dessus des rapides, dit Papi. Je reste immobile. Il faut être patient. J'attends qu'un poisson saute hors de l'eau… directement dans ma bouche. »

« Waou ! dit Petit Ours.
Papi, je t'aime.
Tu es si fort ! »

À ce moment-là, un aigle fondit sur eux. Les deux ours sentirent le souffle produit par ses ailes dans leur fourrure et virent ses serres acérées.

Petit Ours se rua en haut d'un arbre. Papi sourit.

« Je me souviens de l'époque où je pouvais escalader un arbre aussi vite que toi, dit-il. Mes bras étaient forts. Aujourd'hui, je n'ai plus besoin de m'enfuir. »

« C'est vrai, Papi ? demanda Petit Ours. Que fais-tu alors ? »

« Regarde, je suis beaucoup plus gros aujourd'hui, répondit Papi. » Lorsque l'aigle fondit de nouveau sur eux, Papi rugit de sa plus grosse voix. Il rugit et rugit encore, et l'aigle, effrayé, s'envola par-dessus les montagnes.

« **Waou !** dit Petit Ours.
Papi, je t'aime. Tu es si courageux ! »

Papi et Petit Ours continuèrent leur chemin jusqu'à ce qu'ils parviennent à un endroit où la terre était tendre et confortable.

« Regarde, Papi ! s'écria Petit Ours.
Je peux me creuser une tannière pour
hiberner cet hiver. » Et Petit Ours commença
à creuser le sol.

Papi sourit. « Je me souviens de l’époque où je pouvais creuser aussi bien que toi, dit-il en soupirant. Mes griffes étaient très acérées. Mais aujourd’hui j’ai trouvé un meilleur moyen. »

« C’est vrai, Papi ? dit Petit Ours en fronçant les sourcils.
Mais où passe-tu l’hiver, alors ? »

« Écoute, je suis plus sage aujourd'hui, répondit Papi. Tout ce dont j'ai besoin, c'est de trouver un trou dans un tronc d'arbre. »

Il s'enfonça dans les bois. « Suis-moi », dit-il à Petit Ours. Ils arrivèrent devant un arbre énorme.

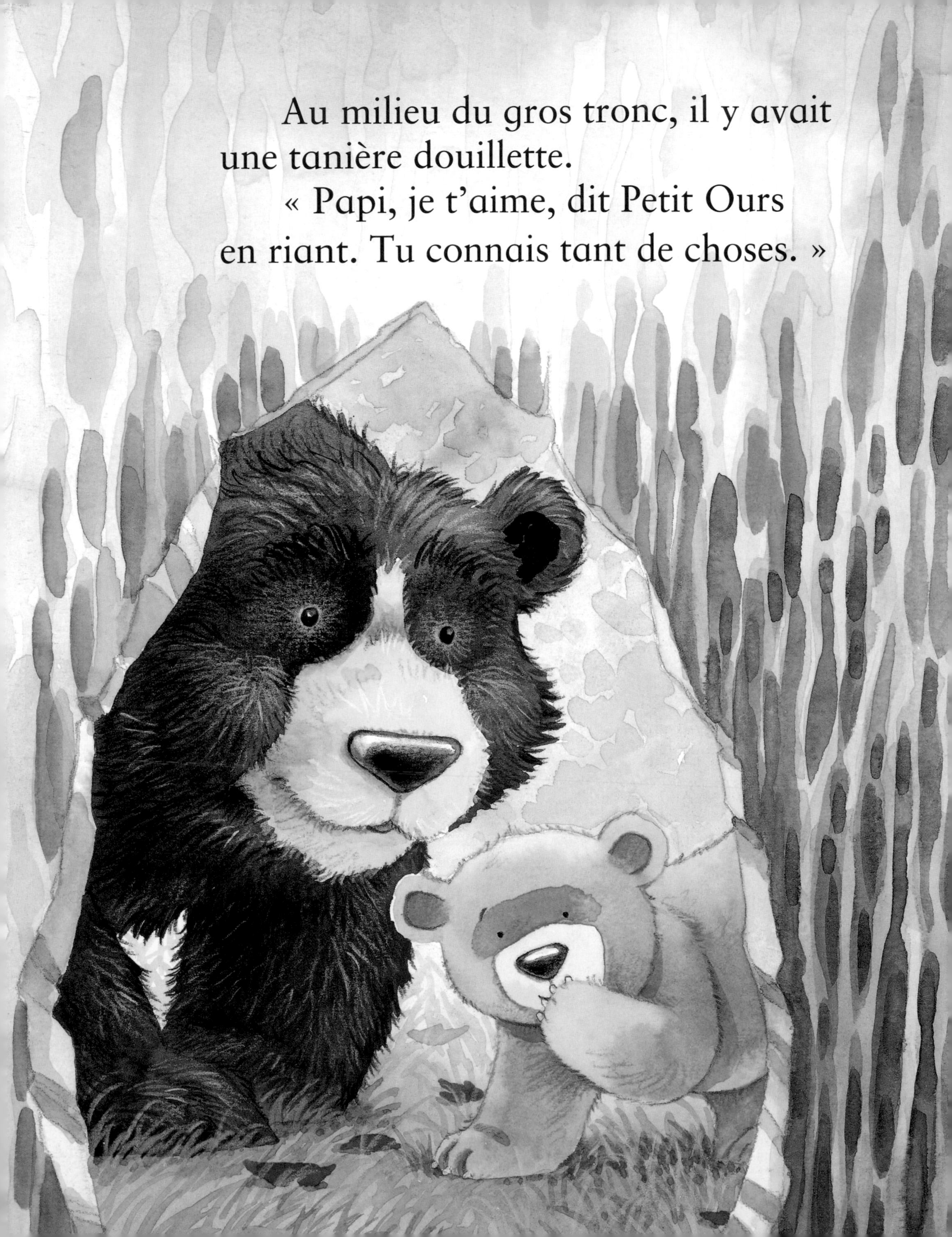

Au milieu du gros tronc, il y avait une tanière douillette.

« Papi, je t'aime, dit Petit Ours en riant. Tu connais tant de choses. »

Petit Ours leva les yeux vers Papi.

« Est-ce qu'un jour je serai aussi habile, courageux et sage que toi ? » demanda-t-il.

« Bien sûr ! répondit Papi. Veux-tu que je commence à t'apprendre maintenant ? »

Petit Ours accepta.

Papi conduisit Petit Ours jusqu'aux rapides et lui apprit à être assez habile pour attraper un poisson…

... et à être suffisamment courageux pour chasser un oiseau. Petit Ours apprenait vite.

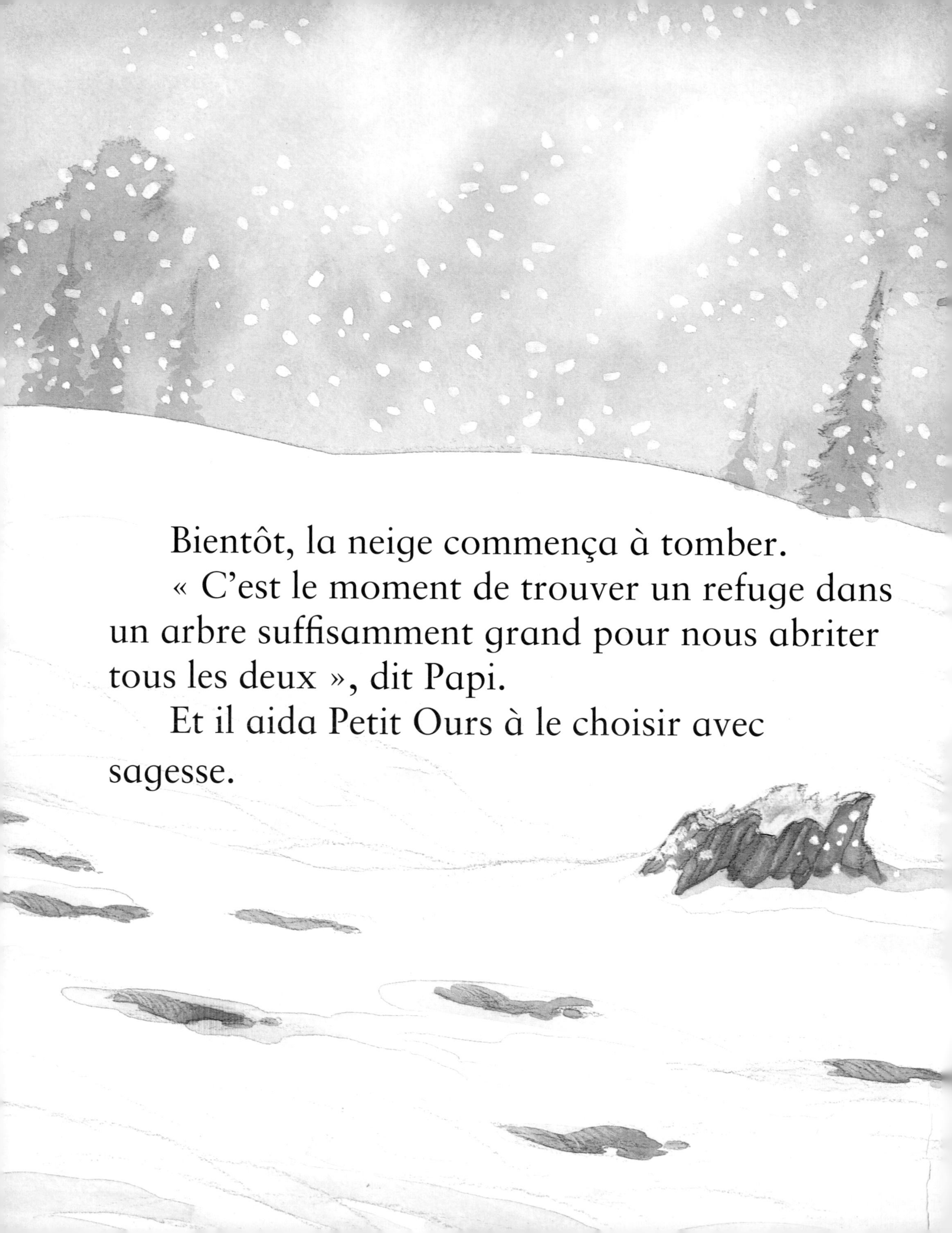

Bientôt, la neige commença à tomber.

« C'est le moment de trouver un refuge dans un arbre suffisamment grand pour nous abriter tous les deux », dit Papi.

Et il aida Petit Ours à le choisir avec sagesse.

Petit Ours se blottit contre Papi. Il se sentait vraiment bien.

« Papi, je t'aime », dit-il en riant. Papi caressa la tignasse en bataille de Petit Ours.
« Je t'aime aussi, Petit Ours, » dit-il.